CW00842165

Andreas N. Graf

Gebrauchte Häuser kaufen und für (fast) lau herrichten

Ein Ratgeber für erfolgreichen Immobilienerwerb und -renovierung mit kleinem Geldbeutel

Copyright Text © Andreas N. Graf 2015
Alle Rechte vorbehalten.

Cover: Károly Ferenczy: House among trees, ohne Datum

Herstellung und Verlag: BoD-Books on Demand, Norderstedt

ISBN 978-3-7392-1890-8

I. Der Hauskauf – die größte (finanzielle) Entscheidung eines Lebens

Zu diesem Buch...

Wer wird Millionär?

Im Laufe seines Lebens verdient der Deutsche je nach Bildung und Beruf zwischen einer und zwei Millionen Euro. Davon gehen direkte und indirekte Steuern, Sozial- und sonstige Abgaben, sowie die Kosten, die die Arbeit selbst verursacht wie Transport und Arbeitskleidung etc. ab. Wir sind optimistisch und veranschlagen diese Zwangsabgaben pauschal mit 30 Prozent. Danach müssen wir essen, uns kleiden, Geld fürs Alter zurücklegen, ein paar Versicherungen bezahlen, Miete, Strom, Telefon etc. Wie lange der Monat, wie kurz das Geld!

Jeder weiß, wie viel oder wenig am Monatsende von seinem sauer oder süß Verdientem übrig bleibt. Addiert man diesen Betrag über die gesamte einkommensgenerierende Lebenszeit hinweg und addiert die reelle oder fiktive Mietersparnis dazu, ergibt sich die Summe, die man theoretisch für einen Hauskauf oder -bau aufbringen könnte – nicht inflationsbereinigt versteht sich.

Natürlich hat man diesen Betrag meist nicht einfach auf der hohen Kante. Er muss ja erst verdient werden. Erfreulicherweise kann man eine Anleihe auf diese zukünftigen Einnahmen in Form eines Darlehens bekommen. Doch die Kehrseite dieser Medaille ist auch jedem bekannt: Zinsen!

Bei 2,5% Zins, einer Kreditsumme von 200.000€ und 800,00€ monatlicher Rate zahlt man knapp 30 Jahre, bis die Schuld vollständig getilgt ist. Insgesamt werden ca. 270.000€ zurückgezahlt. Um die 70.000€ davon erhält die Bank an Zinsen, der Rest ist das Darlehen. Überlegen Sie, wie lange Sie für 70.000€ sparen müssten! Während Sie Ihr eigenes Haus abzahlen, finanzieren Sie der Bank bildlich gesprochen eine chice 2-Zimmer-Wohnung.

30 Jahre plusminus – solange dauert es für viele unserer

Mitmenschen, die nicht das Glück haben, eine Immobilie oder ein entsprechendes Vermögen bereits zu besitzen, bis sie vom Schuldner zum Eigner eines Häuschens geworden sind. 30 Jahre...das Gros eines Arbeitslebens für die eigenen vier Wände. Wen wundert es, warum heute immer mehr Familien auf zwei volle Einkommen angewiesen sind, während früher der pater familias allein ein Weib, ein paar Kinder, einen VW-Käfer, einen Italienurlaub alle zwei Jahre und das traute Heim selbst unterhalten konnte?

Nun könnte man freilich darauf hinweisen, dass die lieben Kinder sich dann eben des schuldenfreien Hauses erfreuen werden, für das man sich selbst abgeplagt hat. Man denkt an die Seinen und das ist gut so. Aber ungetrübt ist diese Freude leider auch nicht. Eine Immobilie gehört zu den Dingen, die schlecht altern. Im Gegensatz zu mancher Flasche Wein oder einem feinen Kunstwerk sinkt der Wert des Hauses, d.h. des Gebäudes mit den Jahren. Damit nicht genug: Abnutzungs- und Verschleißerscheinungen beeinträchtigten zudem die Bewohnbarkeit. Reparaturen und Modernisierungen werden nötig. Manche sind optischer, manche substantieller Natur. Eine aus der Mode gekommene Tapete verschmerzt man noch leicht, ja, man freut sich sogar, sie endlich auszutauschen. Unerfreulicher sind Austausch und Reparatur der Heizanlage, Fenster, Dacheindeckung, Fassade etc. Ein Haus spart nicht nur die Miete, sondern es kostet auch Geld und je nachdem nicht zu knapp.

Schnell wird klar, dass die Entscheidung, Hauseigentümer zu werden, eine schwerwiegende ist, die nicht leichtsinnig und nicht ohne genaue Vorüberlegungen getroffen werden sollte. Ich selber habe im Lauf meines Lebens vier Häuser und zwei Eigentumswohnungen renoviert – ich weiß wovon ich spreche. Ich habe schlechte Entscheidungen getroffen, die sehr kostspielig und gute, die sehr lukrativ waren. Wie die meisten

Menschen bin ich anfänglich recht blauäugig an die Sache herangegangen und – wen wundert es – habe mir dabei manch blaues Auge geholt. Immer war ich auf der Suche nach guten Ratschlägen. Und tatsächlich: jeder wusste immer alles besser als ich. Dass viele Meinungen vermeintlicher Profis und Experten auf Vorurteilen oder schlichtweg Eigeninteressen basierten, habe ich oft zu spät bemerkt. Dieses Buch soll Ihnen helfen, einigen dieser „Erfahrungen“ aus dem Weg zu gehen und bessere, einfachere Pfade einzuschlagen. Alle Wegen führen ja bekanntlich nach Rom oder eben nach hause.

Ich werde Ihnen nicht sagen, wie man es „besser“ als die Profis oder „richtiger“ als die Fachleute mit Diplom und Studium machen kann. Ich besitze nicht den Baustein der Weisen. Ich werde Ihnen lediglich mitteilen, was für mich funktioniert hat, warum es funktioniert hat und wie man es machen, wie man es planen, wie man es denken, wie man es angehen kann, ein Haus für (fast) lau zu kaufen und zu renovieren.

Ich werde Ihnen auch nicht im Detail erklären, wie man eine Wasserleitung verlegt. Dazu gibt es andere, reich bebilderte und sehr praktische Ratgeber von sehr praktisch veranlagten Zeitgenossen. Vielmehr werde ich Ihnen zeigen, welche (unkonventionellen) Möglichkeiten es für die einzelnen Renovierungsbereiche gibt und wie man gute und richtige Entscheidung für sich selbst und sein Projekt trifft. Denn der Erfolg einer Renovierung gründet zuallererst in sinnvoller Planung. Danach erst kommt die korrekte Ausführung einzelner Maßnahmen. Man muss ein Problem verstehen, bevor man es lösen kann. Wenn Sie es umdrehen, ergibt dieses Bild noch mehr Sinn: Was hilft es Ihrem Haus, wenn Sie ein teures und superchices Bad eingebaut haben, aber es durch Ihr Dach regnet? Nehmen Sie mein Büchlein als inspirative Quelle und mahnenden Ratgeber. Man muss das Rad ja nicht neu erfinden, wenn ein anderer schon damit überfahren wurde...

Warum dieses Buch „anders“ ist

Es gibt schrecklich viele Bücher zu den Themen Hauskauf und Renovierung. Ehrliche und laientaugliche sind dabei die Ausnahme. Ich habe mir so ein „Encheiridion“ immer gewünscht. Nichts zu Hochgestochenes, nichts Kompliziertes, aber auch nichts ganz Dummes und Primitives. Etwas, das man ein paar Minuten in die Hand nimmt, und danach mehr weiß als zuvor. Nun, da ich nichts Passendes gefunden habe, musste ich am Ende selbst so eine Handreichung verfassen.

Es geht mir nicht Ihnen zu zeigen, wie Sie 10% sparen können, indem Sie anstatt einer Ölheizung eine Luft-Wärme-Pumpe kaufen. Das können andere gewiss besser. Ich will Ihnen zeigen, wie Sie für 10% der Kosten 100% Haus haben können!

„Unmöglich, geht nicht! Aufschneider“, höre ich Sie sagen. Oder: „Das wollen alle haben, das gibt es nicht“. Diese Vorbehalte sind zutreffend, wenn man sich der Mittel der Vielen bedient. Mit einem Auto kann ich nach Hamburg fahren, nicht auf den Mond fliegen. Dafür braucht es ein anderes „Mittel“, eine andere „Methode“. Wer das Außergewöhnliche will, kann nicht mit dem Konventionellen arbeiten. Konventionell ist dieses Buch nun nicht. Aber es funktioniert, wenn man bereit ist, unkonventionell an die Sache „Hauskauf“ heranzugehen.

Meine „Laienbibel“ unterscheidet sich von anderen Druckerzeugnissen grundsätzlich in zwei Punkten, die für alles Weitere essentiell und leitend sind:

1. Ich schreibe aus persönlicher Erfahrung – ein Laie für Laien. Wer mich kennt, weiß, dass ich zwei bis drei linke Hände habe. Ich bin promovierter Philosoph und

hatte keinerlei theoretische Vorerfahrung. Aber ich konnte und kann *denken.* Diese leider oft unterschätzte Kernkompetenz spart einem gerade beim Renovieren viel Geld und noch mehr Ärger. Alles, was ich Ihnen mitteile, funktioniert. Ob es fachmännisch oder überhaupt normal ist, steht auf einem anderen Blatt geschrieben oder auch nicht. Aber wie es so schön heißt: Beggars can't be choosers – Bettler können nicht wählerisch sein. Oder – aus eigener Erfahrung – eine funktionierende Heizung kann 25.000€ oder 2.500€ kosten. Warm machen beide...

2. Weil mir Expertenwissen fehlt, muss ich die mir stellenden Aufgaben mit gesundem Menschenverstand angehen. Bei mir geht es nicht um komplexe Probleme und Lösungen. Ich bevorzuge das Einfache, das Elegante (ja, auch das Faule) im Denken und Handeln. Weniger ist vielleicht nicht immer mehr, aber meistens genug. Ich mache aus einer Mücke keinen Elefanten, darum muss ich auch nicht mit Kanonen auf Spatzen schießen. Einige einfache Grundregeln genügen, um ein Hauskauf- und Renovierungsprojekt schnell und kostengünstig durchzuführen. Alles, was man dazu braucht, ist Vertrauen in die eigene Leistungsfähigkeit, Mut eigene Urteile zu fällen, ein paar Werkzeuge und ein Quäntchen Größenwahn.

Aber fangen wir beim Anfang an...

Der Autor und sein Motiv

Heute lebe ich als sogenannter Aussteiger. Diesen Titel habe ich mir nicht selbst gegeben, er wurde mir von meinen Mitmenschen verliehen. Verstehen Sie mich nicht falsch: Ich bin kein Hippie. Ich bin der normalste, konservativste und biederste Mensch, den Sie sich vorstellen können. Zuhause trage ich gerne Pantoffeln und

Pullunder. Ein echter Langweiler bin ich, verkopft, gewiss kein Abenteurer. Ich habe gelernt, mit extrem wenig Geld gut auszukommen. Nicht weil ich das Geld hasse, sondern weil ich die Muße liebe. Wer wenig Geld braucht, muss wenig arbeiten und hat viel Freizeit. Und wer wenig arbeitet und viel Zeit hat, der gilt in unserer arbeitsamen und atemlosen Welt eben als Aussteiger. Also schön. Ich habe es mir in dieser Schublade bequem gemacht. Haben Sie Lust sich dazuzulegen? Hier ist noch Platz für einen mehr...

Ich werde im Laufe meines Lebens nicht mal ansatzweise die Million verdienen, die mich statistisch am unteren Ende der Skala erwarten würde. Der Grund ist, ich habe nur einen 450€ Job. Das genügt für eine Frau und zwei Kinder komfortabel, wenn man weiß, wie man mit Geld umgeht. Auch hier steht das Wissen, das Verstehen und der Mut zum Traditionellen und Unkonventionellen an erster Stelle.

Wir leben in einem selbst-renovierten Altbau schuldenfrei und daher entspannt und glücklich. Der Plan zu diesem Buch entsprang dem überraschenden Erfolg meines Erstlings: „Aussteigen – light“. Auch so ein Buch, das ich mir am Anfang meines Lebensweges gewünscht hätte, das aber noch nicht geschrieben war. Dort erzähle ich von meiner Lebenspraxis. Ein Eigenheim ist für meinen Lebensstil ein Muss, weil ich keine Miete bezahlen kann und will. Auch wie man ein Haus mit knapper Kasse findet und herrichtet, verhandelte ich dort. Dies jedoch eher knapp. Im vorliegenden Büchlein werde ich ein wenig in die Breite gehen. Viel Spaß!

Primärüberlegungen zum Hauskauf

Keine Luftschlösser bauen!

Die Wahl eines Hauses muss mit der gleichen Achtsamkeit erfolgen wie die Wahl eines Ehepartners. Es ist für die meisten Menschen in beiden Fällen immer noch eine Lebensentscheidung, eine Entscheidung für eine lebenslängliche Gemeinschaft. Man hüte sich also vor Leichtfertigkeit! Man misstraue dem ersten Eindruck und dem bunten Gewand, in dem so manche Bausünde lockend und verführerisch daherkommt. Ein Wohnzimmer mit 60qm ist zwar auf den ersten Blick beeindruckend, auf den zweiten aber....irgendwie idiotisch. Ich werde später noch ausführen warum.

Man wähle also vernünftig und sorgfältig, nach den eigenen *reellen Möglichkeiten* und *echten Bedürfnissen*. Ein hergerichtete Villa am Starnberger See zum Schnäppchenpreis wollen viele. Doch während sie davon träumen und auf die göttliche Intervention warten, die ihnen den Traum erfüllen wird, versauern sie in ihrer Mietwohnung. Andere sind praktischer. Sie wollen ein Haus mit 8 Zimmern, 300qm Wohnfläche und 1000qm Grundstück – und bekommen, was sie wollen. Wenn sie dann aber merken, wie viel unnötige Arbeit und Kosten eine zu große Immobilie verursacht, sind sie klüger – leider zu spät.

Wählen Sie mit *Vernunft*. Die *Liebe* zum eigenen Häuslein kommt mit der Zeit ganz von selbst. Meine Frau hat jedes Haus, das wir bezogen haben, anfänglich zutiefst verabscheut. Am Ende wollte sie aus keinem ausziehen.

Was für ein Haus brauche ich wirklich?

Wir führen zunächst eine Bedarfsanalyse durch – ehrlich und offen, zukunftsorientiert und realistisch.

Welcher Bedarf soll ermittelt werden? Natürlich der der gegenwärtigen und zukünftigen Hausbewohner – unser Bedarf.

Vorab zwei Beispiele, um Ihre Denke ein wenig für das Thema zu sensibilisieren:

Freunde von mir haben ein kleines Haus mit 3,5 Zimmern und etwa 90qm Wohnfläche gekauft. Solange sie nur ein Kind hatten, schien die Sache tatsächlich aufzugehen. Aber dann rief die Natur und ein paar Monate später wurde den beiden ein süßes Töchterchen geboren. Was nun? Kein Problem! Der Säuglinge würde zuerst im Elternschlafzimmer liegen und später das Zimmer seines Brüderchens teilen. So geschah es dann auch und stolz erklärte die Mutter auf mein skeptisches Nachfragen: „Siehst du, es geht auch mit wenig Platz." Und ja, es ging. Ein paar Jahre zumindest. Aber irgendwann wurde das Söhnchen zu einem Jungen und das Töchterlein zu einem Mädchen. Ihre Interessen begannen auseinanderzugehen, Streitigkeiten nahmen zu. Irgendwann zog der pubertierende Jüngling ins Wohnzimmer, was dazu führte, dass das Familienleben sich von diesem Zeitpunkt an in der eher beengten Wohnküche abspielte. Eine unglückliche Situation, die hätte verhindert werden können, wenn man am Anfang einfach einmal fünf Minuten nachgedacht hätte. Es fehlte an Reserven.

Ein anderes Beispiel: Da gab es dieses erstaunlich günstige Haus in meiner Nachbarschaft zu kaufen. Ein sechziger Jahre Flachdachbungalow auf einem Berg (richtiger: ein Hügelchen). Ein riesengroßes einglasiges Panaromafenster mit ewig feuchtem Alurahmen blickte über das ganze Dorf hinweg auf ein idyllisches, von Weinbergen gesäumtes Tal – ein spektakulärer Anblick. An diesem Haus stimmte alles, bis auf eines: Man musste 115 steile Stufen erklimmen, um zur Haustüre zu kommen. Für einen jungen Menschen ist das kein großes Problem und der Preis, ach der Preis, der war so süß...

Eine 3-köpfige Familie schlug zu.

Drei Jahre später stand das Haus wieder zum Verkauf. Was war passiert? Nicht die Wocheneinkäufe, die Wasserkästen und der Kinderwagen hatten die beiden Eltern besiegt, sondern ein Arbeitsunfall des Mannes, der zu einem schweren Bandscheibenvorfall führte. De facto durfte er nichts mehr Schweres heben. Auch das Treppensteigen fiel ihm schwer. Von Wasserkästchen und Wocheneinkäufen konnte nun nicht mehr die Rede sein. Der Alltag wurde zunehmend mühevoll. Das Haus wurde vom trauten Ort der Geborgenheit zur täglichen Belastung, der man sich bald nicht mehr gewachsen sah.

Man kann viel falsch machen, wenn man schlecht wählt, wenn man sich von Unwichtigem blenden lässt oder das eigene Vermögen unrealistisch einschätzt.

Doch wie geht es besser, wie wählt man *reell*.

Diese drei Grundfragen sollten Sie sich am Anfang jeder Haussuche **ehrlich** beantworten:

1. Wie viele Personen werden das Haus dauerhaft bewohnen?

Jeder Bewohner sollte ein eigenes (Schlaf-)Zimmer ausreichender Größe zur Verfügung haben – ob und wie und wann und für wie lange es faktisch genutzt wird, ist eine andere Frage. Wichtig ist, dass jeder, der Privatsphäre möchte, diese auch bekommen kann. Ein Zimmerchen zu viel ist besser als eines zu wenig. Bei zwei oder mehr überschüssigen Zimmern dreht sich die Situation allerdings wieder um. Jedes Zimmer muss beheizt, geputzt, sprich: unterhalten werden, d.h. es kostet, ob Sie es benutzen oder nicht.

Als Faustregel gilt: Anzahl permanenter Hausbewohner + 1 = Optimale Anzahl der *Schlafzimmer*.

2. Frage: Wo werden sich diese Personen außerhalb des Hauses aufhalten? Wie erreichen sie diese Orte?

Diese Frage zielt auf die Beschaffenheit der Gegend, in der zu leben, Sie planen. Wie ist es um die lokale und regionale Infrastruktur bestellt? Gibt es Schulen, Ausbildungsplätze, Arbeitsplätze, Einkaufsmöglichkeiten, Ärzte etc. Wie gut oder schlecht sind diese zu erreichen? Neben den eigenen Erfordernissen wie etwa Arbeitsplatz sind hier die zukünftigen Erfordernisse der Kinder in Betracht zu ziehen. Wo ist etwa die nächste weiterführende Schule? Gibt es Ausbildungsmöglichkeiten, Hochschulen, Universitäten in der Nähe? Gibt es genügend Arbeitsplätze in der Gegend? Kann man sie fußläufig oder per Fahrrad erreichen? Braucht man ein Auto? Wie sieht es mit dem öffentlichen Nahverkehr aus? Weiter: Ist das Umfeld ökonomisch und demographisch stabil? Gab es in den letzten Jahren größere Veränderungen? Wie differenziert ist die Wirtschaft aufgestellt? Hängt alles von ein, zwei großen Betrieben oder Einrichtungen ab? Sind genug Kinder im Ort? Fehlen diese droht die Schließung der Schule und des Kindergartens. Sind die ansässigen Geschäfte/Betriebe solide? Wie ist der Ruf der Schule(n)? Gibt es ausreichend Fachärzte, Krankenhäuser? Gibt es Leerstand? Wie hoch ist die Arbeitslosigkeit? Sind die Immobilienpreise stabil?

Achtung! Sterbende Regionen meiden!

Leerstand und sinkende Preise signalisieren den Niedergang einer Region. Neben dem breiten Strom der abwandernden Bevölkerung wird sich oft ein kleinerer Zustrom finanziell und sozial schlechter gestellter Personen einstellen, der die Lebensqualität der Gegend negativ beeinflussen kann.

Man sollte sich den Ort, die Region, die Nachbarschaft etc. in der man künftig leben möchte oder muss, genau anschauen. Recherchieren Sie! Reden Sie nach Möglichkeit mit den Bewohnern vor Ort – diese haben keinen Grund Sie anzulügen und sprechen aus eigener Erfahrung.

3. Frage: Wie sollte die Nachbarschaft sein?

Diese Frage zielt auf das unmittelbare Umfeld des ins Auge gefassten Hauses. Wenn man heiratet, heiratet man die Familie des Partners ein Stück weit mit. Beim Hauskauf gilt Vergleichbares: Man kauft die Nachbarschaft mit. Stellen Sie zuerst deren demographische und soziale Zusammensetzung fest: Schulabschlüsse, Erwerbstätigkeit, Arbeitslosigkeit, Anteil Rentner, Anteil Kinder usf. Danach schaffen Sie sich ein möglichst realistisches Bild über Faktoren wie Kriminalität, Freizeitmöglichkeiten, Lärmbelästigung, Umweltverschmutzung etc. Das Umfeld richtig einzuschätzen ist immens wichtig. Den perfekten Ort, die Insel der Seligen oder das Paradies gibt es freilich nicht. Irgendwo werden Sie immer Abstriche machen müssen. Stellen Sie vor dem Hauskauf fest, welche Bereiche kompromisslos und welche verhandelbar sind. Zum Beispiel mit einem Kleinkind neben eine Bundestrasse oder in eine kriminalitätsbelastete Gegend zu ziehen, ist grob fahrlässig, während man eine fünf Minuten längere Fahrt zum bevorzugten Supermarkt wohl verschmerzen kann.

4. Frage: Wird das Haus meinen Bedürfnissen auch noch in 30/60 Jahren gerecht?

Schließlich sind noch Überlegungen anzustellen, wie lange welche Bereiche des Hauses überhaupt genutzt werden. Man wird älter, die Kinder verlassen das Nest, gründen selbst Familien. Zurück bleiben ein Opa und eine Oma. Das Haus sollte also auch altersgerecht sein, bzw. entsprechend umgebaut werden können. Vielleicht ist ein Teil des Hauses in eine eigenständige Wohneinheit zu verwandeln, während der Rest vermietet werden kann. Die gleichen Fragen, die man sich im Kontext der Gegenwart stellt, sollte man sich auch für die Zukunft beantworten. Heute sind die Nähe von Schule und Kindergarten wichtig, morgen vielleicht die Sozialstation und der Arzt.

Endlich sollte man diese Primärüberlegungen noch ein drittes Mal für die Zeit durchspielen, wenn man selbst das Haus nicht mehr bewohnen wird. Wird es den Bedürfnissen einer zukünftigen Generation entsprechen? Kann man es ggfs. an veränderte gesetzliche oder soziale Anforderungen, sprich Energieeffizienz, Sicherheit, Medien etc. anpassen? Kann das Heizsystem auf andere Energieträger umgestellt werden? Ist das Dach für Solarzellen geeignet? Ist Erdwärme möglich? Ist Raum genug um evtl. ein Blockheizkraftwerk zu installieren? Ist der Wohnraum flexibel. Ist die Bausubstanz haltbar? Wurden hochwertige und langlebige Materialien verwendet?

Beispiel:

Für ein Haus ohne Keller, mit eng bemessenem Grundstück und ohne Möglichkeit eines Erdgasanschlusses kann die nachträgliche Installation einer Zentralheizung u. U. recht schwierig werden. Eine Ölheizung fällt praktisch aus, weil die Tanks nicht zu stellen sind, bzw. kostenintensiv ins Erdreich eingelassen werden müssen. Ein Flüssiggastank ist unansehnlich und nimmt Platz auf dem Grundstück weg. Eine Luft- bzw. Erdwärmepumpe setzt einen energetisch passenden baulichen Zustand voraus. Eine Pelletheizung benötigt viel Platz für die Lagerung des Brennstoffs usw. Dazu kommt, dass die Brenner im Wohnraum aufgestellt werden müssen, was wiederum nicht immer unproblematisch ist.

Tipp! Zukunftsfähigkeit!

Achten Sie auf die Zukunftsfähigkeit Ihres zukünftigen Eigenheims! Wohnraumreserven (in Maßen) und Platz für eventuelle Installationen sind grundsätzlich vorteilhaft.

Es ist wichtig, sich diese *ersten Grundfragen* so ehrlich und objektiv wie irgend möglich zu beantworten. Normalerweise wird man ein paar Jahre, Jahrzehnte, vielleicht das ganze restliche Leben an diesem Ort und in diesem Haus verbringen, das wir gerade suchen und später herrichten wollen und werden. Achtsamkeit und Sorgfalt müssen daher Ihre Entscheidungen und Gedanken prägen. D.h. wenn Sie nicht absolut sicher sind, dass Sie in eine Gegend oder ein Haus passen, schauen Sie sich besser nach Alternativen um. Eine Fehlentscheidung kostet nicht nur eine Menge Geld, sondern kann und wird auch zu Stress und Ärger innerhalb der Familie führen.

Sekundärüberlegungen zum Hauskauf

Wenn man ungefähr weiß, was man wo sucht (z.B. ein Haus in einer ruhigen Vorstadtgemeinde mit guter Busanbindung und Grundschule in der Nähe), gilt es noch einige weitere Überlegungen anzustellen. Diese betreffen nun die konkrete Beschaffenheit des Wohnraums und des Grundstücks. Hier ist im Gegensatz zu den Primärfragen einiger Spielraum vorhanden. Eine fehlende Garage etwa lässt sich normalerweise nachrüsten, wenn man nicht ganz darauf verzichten kann oder will. Ein Dachboden oder trockener Schuppen kann fehlenden Stauraum im Keller ersetzen. Aus einem zu großen, kann man zur Not zwei kleinere Zimmer machen. Eine Dusche lässt sich in fast jedem Bad einbauen. Selbst ein Hanggrundstück kann über das Anlegen von Terrassen einigermaßen nutzbar gemacht werden. Allerdings kosten Veränderungen an Haus und Grundstück Zeit und Geld. Und je einschneidender die jeweiligen Umgestaltungsmaßnahmen sind, desto teurer und arbeitsintensiver wird es. Es ist also von Vorteil, wenn das Objekt so weit wie möglich den Bedürfnissen seiner Bewohner entspricht. Es ist leichter ein altes Bad aufzupeppen, als ein komplett neues aus dem Estrich zu ziehen...

1. Die Räumlichkeiten:

Gibt es ausreichend Schlafzimmer?

Nicht die Wohnfläche oder die Gemeinschaftsräume sind hier entscheidend, sondern die Anzahl *verschließbarer* Räume, die von Einzelpersonen bewohnt werden können. Sie können jedes Schlafzimmer potentiell auch anders nutzen (z.B. als Arbeits-, Medien-, Studier-, Musikzimmer etc.), aber Sie können nicht jedes beliebige Zimmer zu einem Schlafzimmer umfunktionieren.

Sind die Zimmer ausreichend *dimensioniert*?
Ein Schlafzimmer sollte nicht unter 7qm sein.

Sind die Zimmer ausreichend *belichtet*?
Stellen Sie sich nur einmal vor, Sie müssten in einem ewig düsteren Kellerloch hausen! Achten Sie unbedingt auf Helligkeit!

Wie sind die Räume zu erreichen?
Sogenannte Fluchtzimmer, als solche Räume, die nur durch andere zu betreten sind, können die Benutzung verkomplizieren. Sicher, wenn man das Büro vor oder hinter das eigene Schlafzimmer legt, hat man keine Probleme, sondern eine sehr elegante Trennung von Wohn- und Arbeitsbereich. Fliehende Kinderzimmer dagegen sind ungünstig. Hat man es mit fliehenden Zimmern zu tun, stellt sich die Frage, ob mittels eines Durchbruchs zum Flur ein separater Zugang geschaffen und die alte Verbindungstüre dafür verschlossen werden kann. In etlichen Altbauwohnungen (1930 und älter), wurde dergleichen durchgeführt. Problematisch bleibt die häufig dünne Wand (manchmal nur Bretter mit wenigen Zentimetern Durchmesser) zwischen den fliehenden Zimmern. Hier können wuchtige Einbauschränke oder sonstige schwere, massive Möbel wahre Wunder an Schallschutz vollbringen.

Gibt es Ausbaureserveren? Sind Räume umwandelbar?
Ein entsprechend bemessenes Dachgeschoss kann mit relativ wenig Aufwand in Wohnraum umgewandelt werden. Gegebenenfalls eignen sich auch ebenerdige Keller, so diese völlig trocken und warm sind. Auch Nebengebäude können ggfs. ausgebaut oder umfunktioniert werden. Aber auch eine überflüssige Küche oder ein zusätzliches Bad kann mit wenig Mühe

ein Schlafzimmer oder Büro ersetzen, so die es die richtigen Maße und Eigenschaften besitzt (mind. 7qm, tageshell).

2. Zustand des Hauses, Nebengebäude?

Prüfen Sie nicht nur mit dem Auge, sondern fordern Sie stichhaltige Informationen an über *Alter* und *Beschaffenheit* von:

Wandaufbauten und Wandstärke
Dachaufbau und Eindeckung
Fundament: Material, Stärke
Zwischendecke
Innenwände
Fenster, Türen
Elektrik, Wasser, Abwasser (Leitungsalter, -material, -zustand)
Medien
Heizung

Je mehr Sie über das Haus wissen, desto besser können Sie den tatsächlichen Renovierungsaufwand einschätzen. Vor allem das Nachrüsten des Heizsystems erfordert genaue Kenntnis der verbauten Materialien. Massive Gebäude beispielsweise heizt Strahlung oft effektiver als Warmluft.

Tipp! Kopien!

Lassen Sie sich Kopien von sämtlichen Bauunterlagen geben. Selbst Handzeichnungen helfen weiter!

3. Grundstück?

Grundstücke werden häufig unterschätzt, dabei sind sie das Einzige an einer Immobilie, was wirklich wertstabil ist. Das Haus verliert unweigerlich über die Jahre an Wert, der Grund, auf dem es errichtet wurde, normalerweise nicht. Ein entsprechendes Grundstück, sorgfältig gestaltet und bewirtschaftet, bietet neben Privatsphäre und Erholungsqualitäten auch noch eine Reihe weiterer Vorteile: Obst und Gemüse können auch auf kleinem Raum sehr effizient angebaut werden. Bodenqualität und Sonnigkeit des Grundstücks sind hier zu beachten. Für den postmodernen Menschen, der den Garten in erster Linie zur Entspannung nutzt, ist alter Baumbestand und ein schön angelegte Bepflanzung wichtig. Das steigert zudem den Wiederverkaufswert der Immobilie. 500 qm englischer Rasen eignen sich zwar hervorragend zum Golfüben, schön und beschaulich ist er allerdings nicht. Die planvolle Wildheit vieler italienischer Gärten mit ihrem bunten Durcheinander von Bäumen, Büschen, Blumen, Wegen, Plätzen, Lauben und der obligatorischen mit Efeu umrankten Venus lässt das Herz der meisten Menschen höher und auch schneller schlagen. Ein ansehnlicher Garten ist nicht einfach zu erstellen. Man darf sich hier nicht täuschen. Besonders Baumbestand braucht Jahrzehnte, um zu wachsen. Man sollte diese Dinge in die Bewertung eines Grundstücks durchaus miteinbeziehen. Zwar kann man gerade am Garten vieles, wenn nicht alles verändern, aber das braucht eben viel Zeit und kostet oft mehr, als man denkt.

Einfamilienhäuser, Kleinfamilienhäuser, Keinfamilienhäuser

Erfreulicherweise haben unsere Vorfahren ähnliche Vorstellung von Wohnraum und Grundstück gehabt wie wir. Deswegen sind die allermeisten Häuser mehr oder weniger entsprechend dieser Bedürfnisse ausgestattet. Das Einfamilienhaus trägt diese Bezeichnung nicht ohne Grund: Es handelt sich um ein Bauwerk, das einer Familie ausreichend Wohnraum bietet. Ältere Häuser haben den Vorteil, dass sie meist über mehr, dafür kleinere Zimmer verfügen. Familien waren früher kinderreicher als heute. Oft lebten auch noch die Großeltern in einer eigenen Wohnung im Haus. Die zweite Küche und das zweite Bad zeugen noch davon. Häuser, sagen wir ab Mitte der 70er Jahre, haben oft nur noch 4 Zimmer (3 Schlaf- und ein Wohnzimmer). Aus dem Einfamilien- ist ein Kleinfamilienhaus geworden.

Moderne EFH sind oft auf fatale Weise effizient. Sie nutzen von vornherein das Dachgeschoss, sodass eine Vermehrung der Zimmer häufig unmöglich ist, insbesondere, wenn der Bebauungsplan Anbauten verbietet. Beim Bauamt Ihrer Gemeinde können Sie übrigens Einsicht in die geltenden Bebauungspläne nehmen.

Wir, eine vierköpfige Familie, bewohnen 6 Zimmer, eine Küche und ein Bad. In unserem jetzigen Haus, einem Zweifamilienhaus, haben wir die Küche im Dachgeschoss in ein Schlafzimmer, das 3qm-Dusch-Bad in einen Spielbereich für die Kinder verwandelt. Oben gibt es jetzt also drei nominelle Schlafzimmer und einen offenen Spielbereich, der die Wohnsituation angenehm auflockert. Um EG findet sich ein kleines und für unsere Zwecke völlig ausreichendes Bad, eine kleine Küche, ein 16qm Wohnzimmer, eine 14qm Bibliothek (Arbeitszimmer) sowie ein 6qm großes Gästeschlafzimmer, in welchem meistens der nachtaktive Familienvater zu ruhen pflegt.

Wichtiger als Küche und Bad sind – ich kann es nicht genug betonen – schöne, warme, gut beleuchtete Schlafzimmer. Ein großes Bad ist zwar chic, aber man wird darin auch nicht sauberer als in einem kleinen. Außerdem wird das Bad nicht oft benutzt, Schlafzimmer aber schon. Die Entscheidung, welcher der beiden Räume besser zu dimensionieren ist, scheint auf der Hand zu liegen.

Mittlerweile hat der Trend, sein Leben als Single zu verbringen, auch auf dem Immobilienmarkt seine Spuren hinterlassen. Bewohnte der Single früher traditionell eine (Stadt-) Wohnung, so will auch er sich heute verstärkt den Wunsch nach einem eigenen Haus erfüllen – und warum auch nicht? Im Altbaubereich sind seit den siebziger Jahren verstärkt auch kleinere, ja kleinste historische Gemäuer zu solchen Zwecken saniert und renoviert worden. Gerade in meiner Region entlang des Mains, wo es viele historische Ortschaften gibt, wird so mancher Wehrturm und so manches Zehnt- und Zollhäuschen nun von einer Einzelperson oder einem kinderlosen Pärchen bewohnt. Eine schöne Entwicklung wie ich finde. Aber auch im Neubaubereich werden elegante Wohnlösungen für Singles oft als Modulhäuser relativ kostengünstig angeboten. Die Wohnfläche übersteigt dabei selten 80qm. Auch für ältere Personen, die den Komfort und die Privatsphäre des Eigenheims nicht missen wollen, die Mühsal aber, die ein überdimensioniertes Haus mit sich bringt, nicht mehr stemmen können und wollen, sind solche Lösungen interessant – wir werden in Zukunft zweifellos mehr davon sehen.

Kleine Materialkunde und Baukunde – welches Haus kann was? Worauf ist zu achten?

In Deutschland baut man nach wie vor und in der Regel *massiv*. Derjenige Bereich der Fertighausbranche, der seine Produkte in Ständerbauweise anbietet, führt trotz aggressiver Werbung noch immer ein Schattendasein. Ich halte diese billige und sehr störungsanfällige Bauweise in unseren Breiten für unangemessen. Der Wertverfall ist überdurchschnittlich und der Wohnkomfort keinesfalls gesünder oder besser als in einem massiv gebauten Haus. Darum klammere ich das „klassische" Fertighaus vor allem als Altbau in diesem Buch explizit aus. Ich habe im Laufe meines Lebens drei Fertighäuser aus den 60er-70er Jahren besichtigt und in einem habe ich ein Jahr lang gearbeitet. Alle wiesen verschiedene toxikologische Auffälligkeiten auf, waren hellhörig und ungesund. Ich rate generell ab, weise aber ausdrücklich daraufhin, dass es sich um meine individuelle Einschätzung handelt, die allerdings von einem Großteil der Bauherrn und Architekten in diesem Land geteilt zu werden scheint.

„Massiv gebaut" bedeutet, dass die Mauern des Gebäudes aus „schwerem" Material wie m. E. Lehm im Fachwerk, Stein, Ziegel, Beton etc. bestehen. Diese Materialien haben ganz verschiedene Eigenschaften, Vorteile und Nachteile. Hier eine kleine, nicht in die Tiefe gehende Materialkunde für Einsteiger.

Mauerwerk

Wir unterscheiden grundsätzlich zwischen schweren und leichten Baustoffen. In der Praxis gibt es freilich keinen rein schweren oder leichten Baustoff – es gibt nur *verhältnismäßig* schwerere und leichtere.

Schwere Baustoff haben eine hohe Dichte, d.h. sie nehmen bei gleichem Gewicht weniger Raum ein oder haben bei gleichem Rauminhalt ein höheres Gewicht. Leichte Baustoffe sind – wie der Name schon verrät – leichter, haben also eine geringere Dichte. Schwerere Baustoffe werden oft durch künstliche Lufteinschlüsse leichter gemacht, um ihre thermischen Eigenschaften zu verbessern – Luft ist ein schlechter Wärmeleiter. Man denke nur an die Wandlung des Backsteins (=massiver Tonziegel) zum Porotonziegel (=porosierter Tonziegel).

Sehr schwere Baustoffe sind beispielsweise Bruchsteine, Sandsteine, unporosierte Ziegelsteine, Lehmziegel usw. Zu den sehr leichten Baustoffe zählen m. E. Holz, Steinwolle, Polystyrol usw.

Mittig zwischen schwer und leicht rangieren die heute im Massivbau gängigen Materialien, die geeignet sind, ein monolithisches Mauerwerk zu errichten, wie etwa der porosierte Ziegel oder der Leichtbetonstein. Eine andere Art zu bauen, ist die Kombination von sehr schweren und sehr leichten Baustoffen, wie etwa die mit Polystyrolplatten (WDVS) gedämmte Sandsteinwand.

Schwere Baustoffe besitzen einen besseren Schallschutz und hohe Wärmespeicherfähigkeit, dafür dämmen sie schlechter. Leichte Baustoffe dämmen oft hervorragend, speichern aber nur wenig Wärme ein und bieten nur bedingt Schallschutz.

In der Praxis sucht man die Vorzüge von schweren und leichten Baustoffen zu vereinen. Moderne Ziegelsteine etwa haben Lufteinschlüsse, um ihre dämmenden Eigenschaften zu verbessern; Fertighäuser in Ständerbauweise sind außen wie innen mit Gips- und Pressspanelementen bewehrt, um den extrem leichten Wandaufbau und den dadurch mangelhaften Schallschutz zu verbessern. Häuser ab den 50er Jahren wurden oft mit Leichtbetonwerkstoffen errichtet. Bis Mitte der 70er war der Beton-Hohlblockstein in Mode. Er wurde vom heutigen Leichtbetonstein (porosierter Beton, oft unter dem Markennamen „Y-Tong“ bekannt) und dem porosierten Tonziegel (Poroton) verdrängt. Leichtbetonsteine sind ein vorzüglicher Hybridbaustoff, der die guten Eigenschaften von schweren und leichten Materialien in sich vereint. Nachteilig ist, dass er mit Wasser nur schlecht umgehen kann. Die Steine verhalten sich wie Schwämme und sehen auch ein wenig so aus. Einmal nass geworden, brauchen sie sehr lange, um wieder abzutrocknen.

In südlichen, d.h. warmen und sonnigen Ländern werden massive Materialien bevorzugt. Sie schützen vor Wärme. Die Wände speichern die Strahlungsenergie der Sonne ein. Der Innenraum bleibt tagsüber kühl, in der Nacht geben die Wände ihre Wärme wieder ab. In kälteren Breiten wird dagegen bevorzugt mit leichteren Materialien gebaut. Verschiedene Holzbauweisen (Fachwerk, Ständerwerk, Blockbau) sind in skandinavischen, nordamerikanischen Ländern sowie in Russland sehr verbreitet. Diese dämmen gut, d.h. sie bilden eine für Wärme schwer zu durchdringende Barriere zwischen Innen- und Außenraum.

Zwischendecken

Auch hier finden sich massive oder leichte Baustoffe. Alte Häuser haben häufig einen Dielenfußboden, der auf Holzbalken ruht. Diese Konstruktion ist erstaunlich langlebig und robust, wenn sie nicht versiegelt, d.h. luft- und feuchtigkeitssperrend abgedichtet wurde, was leider gelegentlich geschieht. Holz kommt mit Luftfeuchte hervorragend zurecht. Es nimmt überschüssige Feuchte auf und gibt diese über die Zeit wieder an die Umgebung ab. Wird Holz allerdings dauerhaft feucht oder gar nass gehalten, bilden sich zersetzende Schwämme, das Material vermorscht, die Konstruktion erleidet oft irreparable Schäden. Bei normaler Benutzung ist eine Holzdecke pflegeleicht und haltbar. Der häufigste Mangel ist die durchgebogene oder abgelaufene Diele. Doch keine Angst – einzelne Dielen können problemlos ausgetauscht und sogar die Tragbalken im Notfall verstärkt werden, was allerdings aufwendiger ist. Zudem können Dielen abgeschliffen und aufbereitet werden, was einen immens schönen, gesunden und recht günstigen Fußboden abgibt. Vorsicht bei hohen punktuellen Belastungen!

Unter den massiven Zwischendecken ist die gegossene Betondecke wohl die am weitesten verbreitete Art. Sie ist sehr haltbar, wasserdicht und sorgt für guten Schallschutz. Große Lasten trägt sie mühelos.

Andere Varianten verwenden Stahlträger, in die Systemsteine gehängt werden. Auch sie sind meist unproblematisch.

Fassaden

In Deutschland ist die gestrichene Putzfassade sehr weit verbreitet. Sie muss gelegentlich ausgebessert und der schützende Anstrich erneuert werden. Heutzutage gibt es Dämmputze, die wie eine moderate Außendämmung wirken – allerdings sind diese teurer und weniger beständig als konventionelle Putzarten. Eine heruntergekommene Putzfassade sieht zwar schrecklich aus, weist aber nicht notwendig auch auf einen schlechten baulichen Zustand des Hauses hin. Lassen Sie sich vom ersten Eindruck nie täuschen.

Achten Sie auf *dunkle Verfärbungen* oder *Veralgungen*. Hier liegt vermutlich ein übermäßige Belastung durch Feuchte oder gar Nässe vor:

Nicht weiter tragisch sind die schwarzen Flecken *über den Fenstern*, vor allem über Bad- und Küchenfenstern. Hier hat sich Kondensat aus dem Innenraum an einem gedämmten, daher kalten Sturz oder Rollladenkasten niedergeschlagen. Die Außendämmung einer Betonzwischendecke kann gleichfalls einen *schattigen*

Strich rund um das Gebäude zeitigen. *Seitlich, unter den Fenstern*, eine dünne, senkrecht verlaufende Verfärbung ähnlich einem Kanal: Vermutlich hat sich hier Regenwasser in den Putz gefressen. Die Ursache ist meist eine zu kurze oder falsch angebrachte Fensterbank oder -blech. Am *Sockel*: Spritzwasserschäden oder Bodenfeuchte.

Die genannten Schäden sind nicht weiter bedenklich und relativ leicht auszubessern. Sollten Sie Verfärbungen an anderer Stelle, punktuell oder auch großflächig, bemerken, liegt hier u.U. ein Leitungswasserschaden oder ein anderweitiger Bauschaden vor. Ist die Fassade ganz oder nur wetterseitig veralgt, haben Sie Bekanntschaft mit einer Außendämmung gemacht. Prüfen Sie diese Beschädigungen bitte sehr genau, da hier schwerwiegende Mängel vorliegen können.

Achtung! Passende Werkstoffe wählen!

Nicht jeder Putz ist für jedes Material zulässig. Auf Mauerwerk aus Leichtbetonsteinen muss beispielsweise mit entsprechenden Leichtputzen gearbeitet werden, sonst droht Rissbildung.

Im Norden finden sich oft Klinkerverkleidungen, die extrem witterungsbeständig und wartungsarm sind. Die hinter den Klinkern ruhende Luftschicht ist eine natürliche Wärmebarriere. Luft ist ein schlechter Wärmeleiter.

Wartungsintensiver und vergleichsweise teuer in der Erstellung sind die meisten Holzfassaden. Holzfassaden brauchen einen regelmäßigen Anstrich, außer es handelt sich um eine natürlich verwittendernde Fassade: Fragen Sie bitte im Zweifel nach dem Material.

Haben Sie mit einer Schindelfassade (Kunststoff-,

Eternitschindeln) zu tun, finden Sie unbedingt heraus, ob diese mit Asbest belastet ist! Der Abbau solcher Fassaden muss von einer Fachfirma durchgeführt werden und ist nicht immer billig und unproblematisch. Eine intakte Fassade ist allerdings unbedenklich. Die Asbestpartikel lösen sich erst, wenn der sie enthaltende Baustoff bricht.

Fundamente und Keller

Moderne Häuser ruhen meist auf einem Betonfundament. Bei älteren Häusern ist auch das Fundament aus massiven, teils natürlichen, teils beschlagenen Steinen erstellt. Fundamente ragen stets ein Stück aus dem Erdreich, um die Wohnräume vor Bodennässe und Kälte zu schützen. Bei älteren Häusern ist der Abstand zum Boden oft viel höher, als bei neueren.

Keller jüngerer Häuser sind ebenfalls aus Beton oder mit anderen „schweren" Steinen aufgemauert. Die Außenwände sind oft mit einem Anstrich, Schweißbahnen oder einer Folie gegen Nässe geschützt – ganz nach Baujahr. Keller neueren Datums sind gedämmt. Ältere weisen im Regelfall keine isolierenden oder dämmenden Maßmahnen auf, es sei denn, diese wurden nachträglich hinzugefügt. Diese Keller sind oft feucht und immer kühl, was kein eigentlicher Mangel ist, die Nutzbarkeit der unterirdischen Räume aber erheblich einschränkt. In Hochwasserregionen findet man gelegentlich sogenannte Flutkeller. Diese laufen planmäßig mit Wasser voll, trocknen aber auch von alleine wieder ab.

Dachformen

Es gibt viele verschiedene Dachformen, die, abgesehen vom ästhetischen Eindruck und der inwendigen Gestalt des Dachbodens (ausgebaut oder nicht), keinen wirklichen Einfluss auf die Funktionalität des Hauses haben.

Komplexere Dachformen wie das Krüppelwalmdach sind teurer in der Erstellung. Man kann vermuten, dass ein Haus mit einer komplexeren Dachform auch sonst hochwertiger errichtet wurde – der Eindruck kann allerdings täuschen und sagt nichts über den baulichen Ist-Zustand aus.

Das Satteldach ist simpel und weit verbreitet. Es ist einfach in der Herstellung, haltbar und wenn die Neigung nicht zu steil ist, größtenteils auch selbst zu warten – so Sie denn keine Höhenangst haben und sich anständig absichern! Ist es richtig ausgerichtet, eignet es sich für eine Solaranlage, falls man so etwas möchte. Auch für den Ausbau ist es gut geeignet, da giebelseitig gerade Wände vorhanden sind – Dachschrägen sind zwar sehr heimelich aber auch unglaublich unpraktisch, wenn es um das Einrichten geht.

Das Pultdach ist noch simpler als das Satteldach. Tatsächlich gleicht es einem recht flachen, in der Mitte geteiltem Satteldach. Der Vorteil bei dieser Dachkonstruktion ist, dass Sie ohne First auskommt. Die Sparren werden üblicherweise in die oberste Reihe des Mauerwerks eingebracht oder aufgesetzt. So lassen sich auch einzelne Sparren problemlos austauschen und partielle Dachflächen sanieren. Der Nachteil ist, dass ein Pultdach keinen eigentlichen Dachraum bietet, d.h. nachträglich meist nicht ausgebaut werden kann. Ausnahmen bestätigen hier die indes Regel.

Das Flachdach ist nicht wirklich flach. Es hat eine Neigung von wenigen Prozent, die auf ein oder mehrere Entwässerungskanäle zulaufen. Flachdächer haben keine massive Eindeckung aus Beton- oder Tonziegeln, sondern meist eine mehrschichtige Haut aus Bitumen, die an den Nahtstellen verschweißt werden. Teils findet sich eine Kieselschicht ganz zu oberst, die die zerstörerische Wirkung intensiver Sonneneinstrahlung mindern soll. Flachdächer sehen schön aus, sind aber häufig energetisch bedenklich und allgemein sehr anfällig für Störungen, deren Beseitigung vergleichsweise mühsam und kostenintensiv ist. Viele Flachdachbungalows aus den sechziger und siebziger Jahren wurden nachträglich mit einem regulären Dach ausgestattet – man kann sich denken warum. Versuchen Sie kein Haus mit Flachdach zu kaufen. Wenn es aber sein muss, lassen Sie sich genau über die erfolgten Wartungs- und Reparaturmaßnahmen informieren. Ziehen Sie in Erwägung nachträglich ein reguläres Dach aufzusetzen, so Ihr Geldbeutel und der geltende Bauplan dies zulassen. Ich habe mir sagen lassen, dass es mittlerweile Hersteller gibt, die sehr langlebige Metalleindeckungen für Flachdächer anbieten. Da ich dazu aber keine Erfahrungen besitze, müssen Sie sich an dieser Stelle mit dem freundlichen Hinweis zur Vorsicht meinerseits zufrieden geben und selbst Nachforschungen anstellen.

Dacheindeckungen

Üblich sind Ton- und Betonziegel, in manchen Regionen auch Schieferschindeln. Alle mir bekannten Arten massiver Dacheindeckung sind kostengünstig, langlebig und partiell austauschbar. Daneben gibt es die Möglichkeit einer Metalleindeckung. Diese ist kostenintensiver, steht aber im Ruf noch langlebiger zu sein. Reparaturen sind allerdings aufwendiger. Hier müssen im Schadensfall ggfs. Reparaturbleche sorgfältig aufgeschweißt werden. Da anständig gewartete Dächer mit Ton – und oder Betonziegeln spielend hundert Jahre und mehr überdauern, schlage ich die günstigere Variante vor. Sie wollen Ihren Erben ja nicht die Freude nehmen, selbst eine neue Dacheindeckung aufzubringen!

Ältere Eterniteindeckungen sind häufig mit Asbest belastet. Ihr Abbau muss von einer Spezialfirma durchgeführt werden, was sehr kostspielig werden kann.

Neuere, asbestfreie Eternitplatten sind dagegen unbedenklich. Sie sind günstig, scheinen aber weniger langlebig als die vorher genannten Eindeckungen zu sein. Auch vermoosen sie schneller. Eine regelmäßige Reinigung ist für jede Dacheindeckung empfehlenswert, da sonst Vermoosungen drohen.

Leichtere Eindeckungsvarianten wie Schindeln oder Bahnen aus Bitumen etc. eignen sich eigentlich nur für Gartenlauben. Sie sind sehr störungsanfällig. Mit der Zeit werden sie brüchig. Daher müssen sie regelmäßig gewartet und oft partiell repariert werden. Unter Schieferdächern findet sich häufig eine Untereindeckung aus Teerpappe. Diese kann mit der Zeit löchrig und porös werden. Augen auf!

Dachdämmungen

Viele ältere Dächer sind weder ausgebaut, noch gedämmt – und das ist aus verschiedenen Gründen gar nicht schlecht:

1. Weil Sie so den Zustand des Dachs (Sparren, Lattung) genau überprüfen können.

2. Weil Sie im Falle eines eventuellen Ausbaus nicht erst etwas abreißen müssen.

3. Weil leichtere Schäden an Dacheindeckung oder Lattung im Zuge einer Renovierung auch von innen behoben werden können, d.h. Sie können sich u. U. Den teuren Dachdecker sparen.

4. Weil manche Dämmmaßnahmen mehr Schaden als Nutzen bringen.

Zu Punkt 4: Das am häufigsten verwendete Dämmmaterial im Dachbereich ist Stein- oder Glaswolle. Dieses Material kühlt anders als schwere Baustoffe in der Nacht extrem aus, was dazu führt, dass sich der Taupunkt ins Innere der Dämmung verschiebt. Die Folge: Feuchtigkeit aus der Luft kondensiert, der Dämmstoff saugt sich voll, die Dämmwirkung nimmt ab. Um dem vorzubeugen, wurden und werden zwei Gegenmaßnahmen ergriffen: Abdichten oder Hinterlüften.

Abdichten ist heute state of the art. Um den Dämmstoff vor Luftfeuchte zu schützen, wird er eingepackt. Innen liegt eine luftdichte Dampfbremse, außen eine diffusionsoffene Folie, die theoretisch die Abgabe von Feuchte zulässt. Die Nahtstellen der Folien werden mit speziellem Band verklebt. Solange die Folien intakt sind und die ganze Maßnahme fehlerfrei ausgeführt wurde, funktioniert diese Art des Dämmens. Das Problem ist, dass im Dachbereich extreme Temperatur- und Witterungseinflüsse wirken. Wie lange eine nur wenige Millimeter dünne Folie oder ein Klebeband so einer Belastung widerstehen kann, bleibt fraglich. Auch die grundsätzliche Diffusionsoffenheit ist durch Verstaubung in Gefahr und wird wohl über die Jahre abnehmen. Ist ein Schaden einmal entstanden, d.h. dringt Wasser und Feuchtigkeit in die Dämmung ein, verhindert die Folie das zügige Wiederaustreten der Nässe – ein Totalschaden in weiten Bereichen der Dämmung ist die Folge, der meist zu spät entdeckt wird. Die Kosten einer Reparatur dürften beträchtlich ausfallen, da das Dach sowohl außen- als auch innenseitig geöffnet werden muss.

Auf den Dächern älterer Häuser sieht man häufig Lüftungsziegel. Sie erzeugen einen kontinuierlichen Luftstrom unter dem Dach, der das darunterliegende Dämmmaterial beständig abtrocknet. Diese Systeme sind langlebig und simpel. Mein ausgebautes Dach verfügt über eine solche Hinterlüftung. Die eingebrachte

Dämmung ist nun über zwanzig Jahre alt und vollständig intakt. Ich machte mir die Mühe, das Dach von außen durch Abnahme etlicher Ziegel zu begutachten. Sollte ich einen Wassereintritt erleiden, werde ich auf der Rauminnenseite sehr bald entsprechende Flecken bemerken. Eine partielle Reparatur lässt sich dann schnell und einfach in die Wege leiten.

Massivere Dämmstoffe aus Holzfasern, die nachträglich auf die Sparren aufgebracht werden, sind sowohl in der Anschaffung als auch in der Installation teurer. Allerdings zeigen sie eine gewisse Resistenz gegenüber Nässe und Feuchte. Sie nehmen zwar Luftfeuchtigkeit auf, geben diese aber auch schnell wieder ab. Die Dämmeigenschaften leiden darunter nicht. Vor allem im Sommer wirken sie aufgrund Ihrer höheren Masse besser gegen die oft im Dachbereich unangenehme Hitze.

Fenster

Fenster bestehen aus einem Rahmen und einer Verglasung. Während früher einglasige Fenster die Regel waren, sind spätestens seit der Energiekrise der 70er Jahre Doppelverglasungen der Standard. Modernste Fenster verfügen über eine Dreifachverglasung. Bei älteren doppelglasigen Systemen, wie z.B. Kastenfenstern, befindet sich eine stehende Luftschicht zwischen den Scheiben, die einen wärmeisolierenden Effekt zeitigt. Luft ist ein schlechter Wärmeleiter. Die Fensterflügel sind zu Reinigungszwecken einzeln zu öffnen. Die Scheiben von Fenstern neueren Datums sind fest im Rahmen verankert: In dem luftdicht versiegelten Zwischenraum ist manchmal ein isolierendes Gas eingebracht.

Fenster dienen im Haus als *Luft- und Lichteinlass*. So zumindest war es früher einmal. Heute setzt man auf möglichst abgedichtete Fenster, um dem unkontrollierten

Abgang von Warmluft entgegenzuwirken. Aufgrund der Verhinderung eines natürlichen Luftaustausches hat aber auch die Raumluftfeuchtigkeit keine Möglichkeit mehr, abzugehen und kondensiert an den im Verhältnis zur Mauer kühleren Scheibe: Man muss Stoßlüften (was der Maxime möglichst hoher Dichtigkeit glatt widerspricht) und für eine entsprechende Temperierung der kältesensiblen Bereiche sorgen oder bekommt u.U. Probleme mit Schimmel. Später werden wir uns mit diesem Problemfeld „Heizen und Lüften" noch genauer beschäftigen.

Achtung! Taupunkte!

Bringen Sie in ein kältesensibles Mauerwerk (schwer, dünn) hochdämmende Fenster ein, kann es passieren, dass der Taupunkt irgendwo in den Wandbereich (oft Außenecken unten und oben) wandert. Ungesehen kann es dort zu Feuchteschäden und Schimmelbefall kommen.

Tipp! Schimmel vorbeugen!

Stellen Sie im Altbau Möbel nie direkt an die Außenwände. Lassen Sie mindestens 10cm Platz. Checken Sie mittels Thermometer/Hygrometer Temperatur und Luftfeuchte an den Außenwänden, vor allem aber den Außenecken, um den notwendigen Temperierungsbedarf festzustellen. Der kälteste Punkt der Außenwände sollte stets wärmer als der Taupunkt sein, um Kondensation zu verhindern.

Fensterrahmen sind heute zumeist aus Holz oder Kunststoff gefertigt. Holz braucht mehr Pflege, hat aber positive wärmedämmende und feuchtigkeitsregulierende Eigenschaften. Auch ist es wohnlicher. Kunststoff dagegen ist billig, wartungsarm, leicht zu reinigen und relativ langlebig.

Aluvollrahmen gibt es heutzutage nur noch selten. Sie sind extrem langlebig und praktisch wartungsfrei, haben aber sehr schlechte thermische Fähigkeiten – Metall ist ein hervorragender Wärme- bzw. Kälteleiter. Modernerer Bauart sind Holz-Alu-Verbundfenster. Innen sind sie aus Holz, eine Aluminiumbewehrung schützt sie auf der Außenseite vor Witterungseinflüssen. Diese Fenster sind vergleichsweise kostspielig, vereinen aber die positiven Eigenschaften von Holz und Metall in sich.

Wünschenswerte Substanzparameter im Altbau

Mauerwerk:
massiv, Mindestdicke (Mauerwerk, plus Innen und Außenputz) *>30cm*.

(Je leichter der Stein, desto dünner darf das Mauerwerk sein und umgekehrt. Bei schweren Materialien wie beispielsweise Sandstein sind größere Durchmesser nötig, bei Leichtbetonsteinen sind 30cm dagegen in Ordnung.)

Dach:
Möglichst große Sparrenstärke, ausbaubar, leichter Zugang durch Treppenaufgang, massive Eindeckung, geläufige Dachform, am besten keine Dämmung. Ansonsten: Je weniger desto besser. Kaschierte Steinwolle ist leicht zu entfernen.

Fundamente:
Aus unverputzten Natursteinen aufgemauerter Gewölbekeller mit Stampflehmboden. Belüftet. Ansonsten ist alles in Ordnung, was geeignet, ist mit Feuchte und Kälte zurechtzukommen. Bei rostenden

Metallträgern (abgehängte Kellerdecke) ist Vorsicht geboten. Hier müssen u.U. gemauerte Stützsäulen eingebracht werden.

Fassade:
Verputzt, verklinkert oder offenes Mauerwerk (z.B. Natursteine)

Fenster:
Kastenfenster als Holz.

Wo suchen? Die Lage ist (fast) alles!

Wertstabil kaufen!

Eine einfache Gesetzmäßigkeit lautet: Je dichter eine Gegend besiedelt ist, desto höher sind die Immobilienpreise und die Preisstabilität.

Ein Haus in guter Lage verliert bei einem fallenden Markt weniger und steigt in guten Zeiten proportional mehr an Wert. Auch ist die Wiederverkaufbarkeit grundsätzlich bedeutend höher als bei einer Vergleichsimmobilie, die „ab vom Schuss" liegt. Bei meiner Suche nach einem Haus bin ich nicht selten auf eigentlich schöne Landhäuser gestoßen, die 25km und mehr von einem Stadtzentrum entfernt lagen. Heute, fast fünf Jahre nach meinem letzten Hauserwerb, stehen manche von ihnen immer noch zum Verkauf.

Bitte verstehen Sie mich nicht falsch: Wenn Sie ein schönes Haus in einem entlegenen idyllischen Ort finden und planen, dort wohnen zu bleiben oder es gar nur als Feriensitz zu benutzen, haben Sie keine Probleme. Was kümmern Sie steigende und fallende Preise, wenn es Ihnen allein um das Haus geht? Aber begehen Sie bitte nicht den Fehler aufgrund von Geldnot oder schlicht fehlenden Optionen zu weit aufs Land zu ziehen. Die zehn- oder hunderttausend Euro, die Sie dort ausgeben, werden Sie – und, wenn man den demographischen Prognosen glauben darf, wohl auch Ihre Erben – kaum mehr wiedersehen.

Unabhängig davon, ob Sie planen am Ort zu bleiben oder nicht: Kaufen Sie Immobilien immer im Hinblick auf ihre zu erwartende Wertentwicklung, bzw. -stabilität. Hier ist die Lage alles!

Der Speckgürtel

Der Traum der meisten Immobiliensuchenden ist sicherlich das beschauliche Einfamilienhaus in privilegierter Stadt(rand)lage – ruhig, doch zentrumsnah, mit reichlich bemessenem Garten, Nähe zur Natur, doch zugleich allen Annehmlichkeiten des urbanen Raums, beschaulich, sicher, privat, doch gleichzeitig nah am pulsierenden Herz einer lebendigen Stadt.

Diese Immobilien sind heiß begehrt und daher immer sündhaft teuer. In diesem Bereich nach Schnäppchen zu angeln, funktioniert praktisch nie. Die Anzahl solventer Mitbewerber verdirbt Preis und Gelegenheit, die Nachfrage überwiegt das Angebot.

Ein vergleichbares Haus auf dem Land, ich meine eines jenseits der 25km-Marke oder noch weiter von einer wenigstens mittelgroßen Stadt mit 60.000-120.000 Einwohner entfernt, ist meist bedeutend günstiger zu haben. Das tägliche Pendeln zur Arbeit, zur Schule, zum Arzt, zum Einkaufen etc. kann aber zur wahren Tortur werden. Dazu kommen die Transportkosten (Sprit etc.) und der oft mangelhaft ausgebaute öffentliche Nahverkehr noch erschwerend hinzu. Nicht unwahrscheinlich ist, dass das zur Heimat erwählte Örtchen irgendwann von den Folgen des Bevölkerungsschwundes und der Abwanderung der Jugend hart getroffen wird: Es droht der Verfall der Infrastruktur und des öffentlichen Lebens. Dafür ist es auf dem Land schön und sicher, man lebt gesund und in Frieden. Auch das hat etwas für sich.

Die Vorteile des Landlebens gegen die Bequemlichkeiten des Stadtlebens aufzuwiegen ist schwer. Schon Tolstoi hat dieses Thema interessiert. Empfehlenswert ist sein Büchlein: Wieviel Erde braucht der Mensch?

Als ich ein Kind war, bin ich auf dem Land aufgewachsen und habe es geliebt. Als junger Mann konnte ich mir dagegen nicht vorstellen, jemals woanders als im Herzen einer pulsierenden Stadt zu wohnen. Jetzt, wo ich älter werde, eine Frau und Kinder habe, lebe ich wieder auf dem Land, allerdings in der Nähe einer mittelgroßen Stadt. Das Ideale für die meisten Familien, die sich ein bequemes „Landhaus“ in der City nicht leisten können – und das dürften wohl die allermeisten sein – ist jener Speckgürtel von Vorstadtgemeinden, der das Beste beider Welten in sich vereint: Zentrumsnähe, Einkaufs,- Arbeits- und Unterhaltungsmöglichkeiten sowie urbanes Lebensklima (Toleranz, Aufgeschlossenheit, Anonymität etc.) auf der einen, gesunde Luft, Ruhe, Sicherheit und Gemeinschaft (Nachbarschaft, Zusammenhalt, Möglichkeiten über den Zaun zu schwatzen etc.) auf der anderen Seite.

Die Dicke dieses Speckgürtels hängt von der Größe und Ausdehnung der Stadt, die er umgibt, ab. „Meine“ Stadt hat um die 100.000 Einwohner. Die begehrten Ortschaften liegen nicht weiter als maximal 10km von der City (Innenstadt) entfernt. Bei größeren Städten ist der Gürtel entsprechend weiter, bei kleineren ist er enger. Im Falle von Großstädten und Metropolen spielt die Anbindung an ein Massenverkehrsmittel wie etwa der U-Bahn, sowie die Nähe zur nächsten U-Bahn-Station eine zentrale Rolle. Hier hat man es mit je eigenen Speckgürtelsituationen zu tun: Je näher an der nächsten Haltestelle sie liegen, desto teurer sind die Immobilien.

Nun stellt sich für viele folgendes Problem: Häuser innerhalb des Speckgürtels sind oft immer noch sehr teuer. Zwar sind sie günstiger zu haben, als vergleichbare Häuser innerhalb des Stadtgebietes, aber sie sind noch lange nicht so günstig wie eben jene Landhäuser, die abseits des Gürtels in jenen verschlafenen und verfallenden Nestern liegen, aus denen die Jugend abzieht.

Ein Beispiel aus meiner Region (Stand: September

2015):

Ein Reihenhaus, Bj. 1970 (5 Zimmer, 130 qm Whf.), gepflegter, doch unrenovierter Zustand in mittelprächtiger Lage in einem eher mittelprächtigen Stadtteil mit 150qm Grund kostet um die 350.000€.

In einer Randgemeinde (3km weiter) zahlt man für eine Doppelhaushälfte Bj. 1995 (4 Zimmer, 120 qm Whf.) gepflegter Zustand in leichter Hanglage mit 300qm Grundstück um die 320.000€

Geht man nochmal 5 Kilometer weiter, bekommt man um 300.000€ schon ein freistehendes EFH, Bj. 1982, renoviert (5 Zimmer, 150qm Whf.) mit 500qm.

Und so fort... Je weiter Sie im Speckgürtel nach außen wandern, desto mehr Haus bekommen Sie für das gleiche oder ein vergleichbares Haus um weniger Geld.

Meiner Erfahrung nach liegt das optimale Verhältnis von Preis und Haus in der Zone knapp jenseits des äußerstes Randes des Speckgürtels, sozusagen in dessen unmittelbarer Nachbarschaft. Sie befinden sich hier zwar technisch gesehen bereits in der preislichen „Todeszone", aber aufgrund der unmittelbaren Nähe zum Speckgürtel eben auch nicht. Vergessen Sie nicht: Die Stadt wächst, darum wird auch der Speckgürtel wachsen und irgendwann wird Ihre Immobilie vielleicht nicht mehr abseits, sondern knapp innerhalb desselben liegen.

Entscheidend ist die genaue Kenntnis der Gegend, die Vitalität des Ortes sowie der lokalen Wirtschaft. Außerdem müssen die Verkehrsmöglichkeiten im Auge behalten werden.

Wenn zum Beispiel die Stadt, in der man arbeitet, vom Wohnort über eine Bundesstraße oder ein Stück Autobahn zu erreichen ist, sind auch 15 - 20km Weg, abgesehen von den Benzinkosten, zeitlich kein größeres Problem, als, sagen wir, in einer Randgemeinde zu leben, in der sich der allmorgendliche Verkehr Richtung City bis vor die Haustür staut.

Ist man unsicher oder kennt die Gegend, in der man zu kaufen plant, nicht, sollte man den potentiellen Wohnort einfach selbst aufsuchen und einige Alltagsstrecken testweise zu verschiedenen Tageszeiten zurücklegen, nur um ein Gefühl für die Entfernungen zu bekommen. Ich habe mich einmal in ein Haus 23km von der Stadt verliebt. Ein herrliches Backsteingebäude mit Innenfachwerk in recht gutem Zustand zu einem hervorragenden Preis. Auf google-maps und dem google-Routenplaner sah die Entfernung zur Stadt gar nicht mal so schlimm aus. Die Realität stellte sich indes anders dar: Die Landstraßen waren von dahin kriechenden Traktoren, LKW's, Mopeds(!) und anderen Pendlern regelmäßig überflutet. Reell benötigte ich nach mehrmaligen Versuchen für eine bestimmte Strecke mehr als 40 statt der angegebenen 25 Minuten. Dazu der Sprit und die Unterhaltskosten des Wagens – für mich unzumutbar.

Achtung! Nahverkehr!

Achten Sie unbedingt auf eine gute öffentliche Verkehrsanbindung und eine gute innerörtliche Infrastruktur. Supermarkt, Schule, Arzt, Kindergarten sollten fußläufig zu erreichen sein. Machen Sie sich möglichst nicht abhängig von Ihrem KFZ!

Erbpacht

Häuser, die auf einem Erbpachtgrundsrück errichtet wurden, sind meist entscheidend günstiger als andere, vergleichbare Immobilien. Erbpacht bedeutet, dass das Grundstück für eine fixe Zeit von meist mehreren Jahrzehnten „gemietet“ wird. Nach dieser Zeit fällt es an den Eigentümer zurück und kann dann eventuell neu gepachtet werden. Die Betonung liegt auf „eventuell“, denn ein Recht haben Sie nicht darauf. Faktisch erwerben Sie also nur das Eigentum an Haus und Nebengebäuden, nicht am Grund. Das bringt einige Nachteile mit sich, die den niedrigeren Preis meines Erachtens kaum aufwiegen:

1. Sie zahlen eine jährlichen *Erbpachtzins* der u. U. auch steigen kann – studieren Sie den Erbpachtvertrag sehr gründlich.

2. Achten Sie auf die *Restlaufzeit* des Vertrages. Je weiter diese sich ihrem Ende nähert, desto *wertloser* wird die Immobilie. Verlangt nämlich der Eigentümer sein Grundstück zurück, müssen Sie je nach Vertrag entweder Ihr Haus und sämtliche Gebäude abreißen oder deren Eigentum fällt an den Eigentümer des Grundes, wobei er Sie für den Zeitwert (Achtung, nicht den Marktwert!) entschädigen muss. Im schlimmsten Fall stehen Sie also mit nichts oder fast nichts da. Erkundigen Sie sich vorzeitig, ob und unter welchen Bedingungen der Eigentümer den Pachtvertrag erneuern wird. Lassen Sie sich nach Möglichkeit alles schriftlich geben, aber vergessen Sie nicht: Sie sind nicht Eigentümer des Grundstücks, sind jenem also ein gutes Stück weit ausgeliefert.

3. Normalerweise kaufen Sie in Erbpacht nur für sich selbst. Planen Sie also nicht, dass Haus zu vererben. Stecken Sie auch nicht zu viel Geld hinein – Sie oder Ihre Erben werden es kaum mehr wieder bekommen.

Das richtige Objekt finden

Wenn man weiß, *was* man braucht, *wie* viel man ausgeben kann und *wo* man in etwa danach fahnden wird, kann man sich endlich auf die Suche nach der geeigneten Immobilie machen. Ich will an dieser Stelle die bekannten und weniger bekannten, schließlich auch die abenteuerlichen Möglichkeiten der Immobiliensuche mit ihren jeweiligen Vor- und Nachteilen besprechen. Die Sahnestückchen sind heiß begehrt und hier wie auch sonst im Leben gilt: Wer zuerst kommt, malt zuerst. Eine planvolle Suche kann zudem eine Menge Geld sparen. Also aufgemerkt!

Immobilienportale

Immoportale sind mittlerweile die primäre Vermarktungsquelle für Häuser, Wohnungen und Grundstücke aller Art und dies nicht ohne gute Gründe. Häufig ist das Objekt mittels zahlreicher Bilder bereits gut dokumentiert. Man bekommt einen ersten Eindruck von den Räumlichkeiten. Idealerweise ergänzt eine umfassende Beschreibung und einige Grundrisse oder ein Flurplan das Online-Exposé. Man kann bequem vom Computer aus auf Häusersuche gehen und spart sich manchen unnötigen Ortstermin. Beachten Sie, dass es neben den beiden Branchenriesen Immowelt und Immoscout noch eine ganze Reihe kleinerer Seiten gibt. Da diese ihre Dienste für den Verkäufer meist günstiger anbieten, finden sich gerade auf diesen unbekannteren Seiten häufiger private Angebote – bei diesen fällt keine Maklergebühr an, außerdem hat es etliche Vorteile mit dem Eigentümer selbst zu verhandeln: Im Gegensatz zum Makler haftet jener für seine Aussagen – mehr dazu später.

Metasuchportale wie Nestoria können zudem noch den

einen oder anderen sonst übersehenen Treffer bieten.

Hier eine kleine Übersicht der gängigen großen Portale und sonstiger Online-Quellen

Traditionelle Portale:
Immowelt
Immoscout
Immonet
Immopool

Metasuchmaschinen oder Mischangebote:
nestoria, trovit, kalaydo, ebay, ebay-kleinanzeigen

Bundesweit operierende Maklerportale:
Engel und Völkers, Remax, Planet Home, von Poll

Tipp! Spam vermeiden!

Erstellen Sie sich ein spezielles Emailkonto, z.B. kostenlos bei web.de, freenet.de oder gmx.de, für Ihre Onlinesuche und registrieren Sie sich damit bei den o.g. Seiten. Sie können sich nun bequem per Email über alle neuen Angebote informieren lassen, ohne dass Ihre Haupt-Email-Adresse mit lästiger Werbung „gespammt" wird. Viele dieser Seiten verkaufen nämlich Ihre Daten an Dritte weiter. Daher ist dieses Vorgehen nicht nur praktisch, sondern auch aus Gründen des Datenschutzes vorteilhaft.

Darüber hinaus lohnt sich fast immer ein Blick auf die Seiten ortsansässiger Klein- und/oder Regionalbanken wie Sparkassen, Genossenschaftsbanken oder anderer Privatinstitute. Auch die Seiten ortsansässiger Makler sind zu durchsuchen. Häufig sparen Makler sich nämlich die Anzeigekosten der Portale und versuchen ein Objekt zunächst auf eigene Faust zu vermarkten. Manches Schnäppchen findet seinen Weg niemals in die großen Vermarktungsplattformen.

Auch auf ebay-kleinazeigen, quoka, markt.de etc., finden sich Angebote. Weil dort meist die Anzeigegebühr komplett entfällt, findet man vermehrt auch Privatangebote.

Neben vielen Vorteilen hat die Suche im Internet auch Nachteile. Jeder, der Wohnraum sucht, wird sehr regelmäßig diese Portale benutzen bzw. sich per Email über die neusten Angebote informieren lassen. Das bedeutet zwangsläufig, wenn etwas Geeignetes auftaucht, muss man oft sehr, sehr schnell sein und hat mit viel, viel Konkurrenz zu tun. Das ist schlecht für die Verhandlungen und erzeugt einen gewissen Druck, der einen oft genug das Wesentliche übersehen lässt. Vergessen Sie bitte nicht, Achtsamkeit und Sorgfalt sollten die erste Begegnung mit dem potentiellen Heim prägen, nicht Stress und Hast, auch wenn dies gerade in angespannten Wohnraumsituationen praktisch kaum ganz zu vermeiden ist. Es werden – man muss sich das einmal vorstellen – in Städten wie Frankfurt a.M. Eigentumswohnungen teilweise am Telefon verkauft! Man geht zum Notar, bevor man die erworbene Wohnung je betreten hat! Vermeiden Sie das nach Möglichkeit – ich werde ihnen später ein paar Tipps geben wie.

Der zweite große Nachteil der Immoportale sind die Kriterien, nach denen Objekte kategorisiert und gesucht, bzw. gefunden oder eben auch übersehen werden. Wenn der Verkäufer die Rahmendaten der Immobilie falsch und/oder unrichtig eingibt, erhält man bei der entsprechenden Suche auch falsche und unrichtige

Ergebnisse. Oft entgehen einem so Angebote, während man auf der anderen Seite mit solchen bombardiert wird, die eigentlich nicht in Frage kommen. Makler geben beispielsweise die PLZ der Stadt ein, in deren Umkreis Haus gesucht wird, während sich das Objekt in Wahrheit 30km außerhalb befindet, was aber erst der Anzeigentext verrät. Auf der anderen Seite gilt das Gleiche: Ihre Suchparameter können potentielle Treffer ausschließen. Eine Familie, die beispielsweise eine EFH mit 4 Zimmer und 130qm Wohnfläche sucht und diese Daten in die Suchmaschine eingibt, wird nicht das Haus mit 3,5 Zimmern 100qm Wohnfläche, aber 60 qm Ausbaureserve im Dach finden, das um einen vernünftigen Preis zu haben ist! Oder man setzt ein Kaufpreis-Limit bis 200.000€ und findet nicht das Häuslein, das zwar für 205.000€ angesetzt ist, welches der Verkäufe aber auch für 190.000€ verkauft *hätte*, *wäre* ihm nur ein entsprechendes Angebot unterbreitet worden. Das beste ist, man verzichtet komplett auf die Eingabe von Kriterien und sucht systematisch mittels PLZ und Umkreissuche das Gebiet nach allen möglichen Objekten ab. Das ist zwar etwas zeitaufwendiger, erhöht aber die Chance, einen Treffer zu erhalten, enorm. Außerdem erhält man so nach einer kleinen Weile einen gewissen Überblick über die Marktsituation und die Preise, sollten diese Faktoren einem schon nicht geläufig sein.

Makler

Makler gehören einer Berufsgruppe an, die ihre Existenzberechtigung faktisch verloren hat. Ihre Aufgabe *bestand* darin, Immobilienverkäufer und – käufer zusammenzubringen, die Preisverhandlungen zu führen und den reibungslosen Ablauf des Kaufs zu begleiten. Die ersten beiden Aufgaben erfüllen heutzutage größtenteils die Immobilienportale. Für die Preisverhandlungen braucht man ebenfalls keine Dritte Person mehr – entsprechende Publikationen und genannte Portale erlauben, sowohl dem Käufer als auch dem Verkäufer den Marktwert einer Immobilie relativ genau einzuschätzen. Der obligatorische Termin beim Notar garantiert schließlich den problemlosen und rechtssicheren Eigentumsübergang.

Hier einige Aspekte, warum Sie nach Möglichkeit vermeiden sollten, mit Maklern zu kaufen: Die bei einem erfolgreich zustande gekommenen Kauf anfallende Provision ist schlichtweg horrend. Käufer und Verkäufer zahlen je einen prozentualen Satz aus dem Kaufpreis, der je nach Objekt und Region zwischen 7% und über 10% liegt – das ist mehr als mancher Architekt für die Erstellung eines Neubaus bekommt! Fünfstellige Honorare sind die Regel. Dies mag vielleicht auch der Grund sein, warum so viele schwarze Schafe in diesem Berufsstand zu finden sind. Um als Makler zu arbeiten, brauchen Sie weder eine anständige Ausbildung, noch ein Studium. Ein Kurs bei der lokalen Industrie- und Handelskammer genügt.

Ein weiterer Grund, warum beim Kauf mit Maklern Vorsicht geboten ist: Versteckte Mängel. Der Verkäufer ist auf Nachfrage verpflichtet, Auskunft über alle ihm bekannten, nicht sichtbaren Mängel der Immobile zu geben. Findet sich nach dem Kauf ein Mangel, der dem Verkäufer nachweislich bekannt gewesen sein muss und den er trotzdem verschwiegen hat, wird dieser schadensersatzpflichtig. Ein Makler dagegen darf lügen, bzw. sich dumm stellen – er haftet nicht für das, was er zu wissen oder eben nicht zu wissen behauptet.

Die Hauptaufgabe des Maklers ist es, sich *zwischen* Käufer und Verkäufer zu schalten, um von deren Geschäft zu profitieren. Ich empfehle das genaue Studium der AGB's eines Maklers, die man meist vor einem Besichtigungstermin zu unterschreiben hat. Es ist wie ein

Pakt mit dem Teufel, nur schlimmer: Sie bekommen nämlich keine entsprechende Gegenleistung. Die AGB's sind stets sehr, sehr erhellend und unterstreichen indirekt die Vorteile, direkt mit dem Eigentümer zu sprechen und zu verhandeln.

Versuchen Sie auch bei Objekten, „auf denen ein Makler sitzt“ (so nennt man das in meiner Gegend), immer mit dem Eigentümer direkt in Kontakt zu treten. Die Adresse der Immobilie kann leicht erfragt werden, man braucht seinen Namen ja nicht unbedingt zu nennen. Danach kann man in der Nachbarschaft einmal freundlich anfragen, wer denn der Eigentümer ist, so er das Objekt der Begierde nicht selbst bewohnt. Der Rest ergibt sich dann ganz von selbst...

Überregionale/ regionale Tageszeitungen

Auch hier lohnt sich das regelmäßige Studium. Viele ältere Menschen bedienen sich noch dieses Mediums. Man muss die Tageszeitungen auch nicht unbedingt abonnieren. Die Online-Auftritte enthalten den Anzeigenteil generell kostenfrei und aktuell.

Die knappen Texte und Beschreibungen spiegeln nur einige Rahmeninformationen wider, die unzureichend für eine erste Einschätzung der Immobilien sind. Man muss also anrufen oder sich sonst wie mit dem Anbieter in Verbindung setzen. Idealerweise benutzt man dafür einen Spickzettel, um auch keine der wesentlichen Informationen im Gespräch zu vergessen. Eine Checkliste für ein Telefongespräch kann folgendermaßen aussehen:

Checkliste – Erstkontakt über Telefon

Ort, Adresse?
Zimmer, Wohnfläche?

Grundstücksgröße? Bepflanzung des Gartens?
Nebengebäude, Garage?
Lage innerhalb des Ortes? (Zentrum, Rand?)
Nachbarn?
Baujahr? Gesamtzustand? Modernisierungen?
Keller, Dachboden, Deckenhöhe? (Vorsicht: Bei Altbauten gibt es oft niedrige Decken!)
Elektrik, Sanitär, Heizung (Alter, Zustand)?
Grund des Verkaufs?
Beziehbar ab? (Vermietet? Muss erst noch geräumt werden? Frei?)
Erbpacht und Sonstiges?

Werbezeitungen

Sie sind kostenlos und voll von Werbung, aber auch mit einem nützlichen Anzeigenteil versehen. Für dieses sehr bunte Printmedium gilt das gleiche wie für Regionalblätter. Oft findet sich hier noch das eine oder andere zusätzliche Angebot, weil in Werbezeitungen Inserate für Privatleute häufig sehr günstig, wenn nicht gar kostenfrei sind.

Gemeindezeitungen

Diese Druckerzeugnisse sind ein echter Geheimtipp! Man erhält sie nur, wenn man im Ort wohnt. Auf den meisten Internetseiten der Gemeinden kann man die Blätter allerdings auch online einsehen. Tun Sie das unbedingt und regelmäßig!

Aushänge

Meiner Erfahrung nach bringen Aushänge eher wenig. Ob Käufer oder Verkäufer – man hängt in den Gegenden aus, wo man eine Immobilie sucht oder vermarkten möchte; dort natürlich jeweils an gut frequentierten Orten wie Bushaltestellen, Bäckereien, Supermärkten etc. Vor dem Aufhängen eines Zettels mit abreißbarer Telefonnummer und/oder Emailadresse ist die nötige Erlaubnis einzuholen.

Neben dem papiernen Aushang in der echten Welt gibt es selbstverständlich den elektronischen in der virtuellen. Ebay-Kleinanzeigen, quoka sowie lokale Seiten haben her einen recht regen eigenen Marktplatz entwickelt, weil man dort kostenlos inserieren kann und eine relativ große Menge an Personen erreicht. Per Email kann man sich über neue Inserate in der entsprechenden Sparte informieren lassen.

Behörden und Ämter

Manche Grundstücke, aber auch Häuser und sogar Eigentumswohnungen landen aus ganz verschiedenen, teilweise recht abenteuerlichen Gründen im Besitz der Gemeinde, die sie dann ggfs. weiterzuverkaufen sucht. Meist werden diese Verkaufsvorhaben in den Gemeindeblättern veröffentlicht oder per amtlichem Aushang bekannt gegeben. Ein Anruf beim zuständigen Bauamt spart hier die oft zeitraubende Recherche. Manchmal erhält man auch Informationen über weitere Angebote und Möglichkeiten des Hauserwerbs. Zudem – aber das wird erst nach dem erfolgreichen Kauf interessant – bezuschussen manche Gemeinde bestimmte Renovierungs- und Sanierungsvorhaben von älteren, meist im zu Unrecht geschmähten Ortskern stehenden Gebäuden. Die Beamten auf dem Dorf – zumindest hierzulande – sind meist ausnehmend freundlich und sehr hilfreich, wenn man Sie nur höflich fragt. Ich habe noch kein Telefonat geführt, bei dem sich mein Kenntnisstand nicht erheblich verbessert hätte.

Selbstsuche und Klinkenputzen

Die aufwendigste, doch nichtsdestotrotz eine lohnende Maßnahme, das Traumhaus zum Traumpreis zu finden, ist wohl, sich selbst auf die Suche zu begeben.

Zunächst fährt und spaziert man durch die Orte, die potentiell in Frage kommen. Das sind gewiss einige, darum sollte man sich für die Haussuche auch viel, viel Zeit nehmen. Hier darf nichts überstürzt werden – hat man aber seinen Treffer, darf man auch nicht zögerlich sein, dann gilt es schnell zuzuschlagen.

Achtung! Nicht zu lange überlegen!

Mein jetziges Haus habe ich 4 Monate gesucht. Dabei bin ich gut und gerne einige tausend Kilometer in der Gegend herum gefahren und habe ungezählte Stunden alle o.G. Informationsquellen abgegrast, bzw. Suchmaßnahmen ergriffen. Als ich meinen Treffer dann hatte, lagen zwischen der Erstbesichtigung und dem Notartermin nur drei Tage. In der Woche nach der Unterzeichnung des Vertrages – der Eigentümer gab mir freundlicherweise schon die Schlüssel, damit ich für die anstehenden Renovierungen Maßnehmen konnte – klingelte es plötzlich. Ich öffnete. Ein Herr, eine Dame und zwei bezaubernde Kindlein standen vor mir. Sie hätten, meinten sie etwas verlegen, gesehen, dass jemand im Haus sei. Ob ich wohl der Eigentümer wäre. Ich bejahte gedankenlos. Sie hätten, fuhren sie fort, das Objekt vor einigen Wochen mit dem Makler besichtigt. Sie hätten sich noch andere Häuser angesehen und lange darüber nachgedacht. Schließlich hätten sie mit der Bank gesprochen. Alles sei geklärt. Nun wollten sie das Haus nach einer weiteren Besichtigung gerne kaufen. Sie hätte versucht den Makler zu erreichen, aber der war heute anscheinend unterwegs. So hätte sie beschlossen, auf gut Glück einmal vorbeizuschauen. Sie hätten, wiederholten sie, sich lange mit der Entscheidung herumgeplagt. So ein Hauskauf sei eine schwerwiegende Sache. Aber sie seien letztlich zu dem Schluss gekommen, es wäre das Beste. Ich stimmte verwirrt und immer noch gedankenlos zu.

Ob sie, bat mich die Frau, da sie mich nun glücklicherweise angetroffen hätten, nun noch einmal das Haus besichtigen könnten.

Nun wurde ich verlegen. Ich stammelte, ich hätte das Haus gerade erst gekauft. Diese Woche erst fand der Notartermin statt.

Dann begann der Vater, der nicht ganz zu begreifen schien, mir den Leidensweg seiner Haussuche zu schildern. Jahre suchten sie nun schon und zweimal wäre ihnen ein Haus vor der Nase weggeschnappt worden. Was sie denn nur falsch machten? Ich schwieg, obwohl ich die Antwort kannte...

Versuchen Sie nicht zu diesen armen Leuten zu gehören, die ewig suchen, aber so langsam und umständlich sind, dass es am Ende immer scheitert. Wenn Sie ein Haus kaufen wollen, planen Sie alles gründlich vorab – natürlich auch das Gespräch mit der Bank. Nehmen Sie sich Zeit zu suchen, suchen Sie gründlich, wählen Sie mit Bedacht und Sorgfalt, prüfen Sie unbarmherzig, aber wenn Sie Ihr künftiges Heim gefunden haben, **schlagen Sie um Himmels Willen schnell zu, sonst tut es ein anderer.**

Selbst mir sind schon zwei potentielle Kandidaten durch die Finger gerutscht – echte Sahnestückchen, wunderbare Häuser mit Potential in guter Lage zu einem sehr guten Preis. Der frühe Vogel fängt den Wurm...

Zurück zu unserer Suche vor Ort. Leerstehende Häuser

erkennt man an heruntergelassenen Rollläden und zugeklebten Briefkästen. Haben Sie ein interessantes Objekt gefunden, kleben Sie einen Zettel mit Ihrer Rufnummer und der Bitte um Kontaktaufnahme an die Türe. Ein kurzes, freundliches Anschreiben, wer Sie sind und was Sie wollen, ist hilfreich. Klopfen Sie auch bei den Nachbarn und erkundigen Sie sich unter einem Vorwand nach dem Eigentümer. Fragen Sie nicht, ob das Haus zum Verkauf steht – wenn den Befragten nämlich Ihre Nase nicht gefällt, werden sie Sie u. U. mit einer Lüge abwimmeln.

Tipp! Sich selbst präsentieren!

Vor meiner Türe stand einmal eine sehr sonderbar wirkende Großfamilie (ich meine es waren sechs oder sieben Personen). Der Vater, dessen Atem das würzige Aroma starker Alkoholika verströmte, erkundigte sich unter zu Hilfenahme mindestens dreier Sprachen und einiger Grunzlaute nach einem leerstehenden Haus in der Nachbarschaft, das, wie ich wusste, tatsächlich von Privat zum Verkauf stand. Ich log, es würde bald abgerissen, aber er solle bei meinem Nachbarn, einem Polizisten, einmal nachhören, der wisse bestimmt mehr. Ich sah die Familie nie wieder. Heute tut mir mein Verhalten Leid. Aber in dieser speziellen Situation fühlte ich mich schlichtweg bedroht und überrumpelt. Wenn Sie also beim Nachbarn klopfen oder nur durch den Ort spazieren, in dem Sie ein Häuslein zu erwerben wünschen, **kleiden und benehmen Sie sich anständig** – es hilft: **Gute Nachbar sind ebenso begehrt wie schöne Häuser!**

Die Hausbesichtigung

Herzlichen Glückwunsch! Wenn Sie sorgsam ausgefiltert und ausgewählt haben, werden Sie innerhalb von zwei oder drei Besichtigungen Ihr zukünftiges Heim gefunden haben. Leute – und ich kenne viele davon – die jahrelang nach der geeigneten Immobilie suchen, wollen in Wahrheit entweder kein Haus kaufen oder sind nicht in der Lage, Ihre Bedürfnisse den Gegebenheiten anzupassen. Die hergerichtete Luxusvilla im gediegenen Nobelviertel einer pulsierenden Großstadt zum Schnäppchenpreis gibt es nicht. Darauf zu warten, hat keinen Sinn, danach zu suchen ebenso wenig. Ein Traumhaus zu einem Traumpreis findet man nicht einfach so – man macht es!

Vorarbeiten und Vorbereitungen

Wenn Sie eine fremde Umgebung das erste Mal betreten, wird Ihre Wahrnehmung von der Fülle neuer Eindrücke überwältigt. Oft nehmen Sie dann nur Nebensächliches wahr, während Ihnen das Wichtige, das Wesentliche entgeht. Ich habe schon Häuser besichtigt, von denen ich danach nicht einmal mehr einen Raumplan hätte zeichnen können. Ich hätte aber die Musterung des hässlichen und ohnehin zu ersetzenden Teppichbodens genau zu beschreiben vermocht. Gute Vorbereitung tut also not.

Eine Checkliste hilft, den Eigentümer oder Makler nach dem Wichtigsten zu fragen. Schreiben Sie alle Auskünfte kräftig mit. Scheuen Sie sich nicht, alles, was Ihnen auffällt, zu notieren, auch wenn man Sie u.U. scheel ansieht. Fragen Sie, ob Sie eigene Photos machen dürfen. Photographieren Sie jeden Raum von der Türe her und zur Türe hin. Photographieren Sie alle Schadstellen oder Auffälligkeiten.

Tipp! Nichts vergessen!

Bringen Sie zur Besichtigung mit:
Checkliste (wie Telefon ergänzt um die Substanzparameter),
Stift,
Kamera,
evtl. ausgedrucktes Exposé.
einen Notizblock für eigene Beobachtungen

Sobald Sie die Adresse des Hauses in Erfahrung gebracht haben, besuchen Sie vor der eigentlichen Besichtigung schon mal die Nachbarschaft. Schauen Sie sich das Häuslein diskret von außen an. Machen Sie einen Spaziergang durch die Gegend – am besten am frühen Abend, wenn die Nachbarn schon wieder zu hause sind. Saugen Sie die Atmosphäre auf. Achten Sie auf Details: Welche Autos parken? Sind die Vorgärten ordentlich? Welche Dekos hängen in den Fenstern?

Ein Freund bat mich einmal, eine ausnehmend günstige Wohnung mit ihm zu besichtigen. Vier Augen sehen ja bekanntlich mehr als zwei und außerdem wusste er, dass ich in dem Bereich bereits Vorerfahrung hatte. Nun, vom Balkon im Stockwerk über besagter Wohnung hing eine Schwarz-Rot-Goldene Fahne mit einem sehr bedrohlich wirkenden Kreuz darauf. Im Hausflur roch es dagegen sehr orientalisch. Man hörte laute Musik. Im Treppenhaus parkten etliche, teils arg zugerichtete Billig-Kinderwägen zwischen aufgeplatzten Müllsäcken. Graffiti leuchtete an den Wänden. Einigermaßen amüsiert wies ich ihn auf diese und noch andere Details hin. Wir mussten die Wohnung nicht einmal betreten, um uns eine Meinung zu bilden.

Achtung! Dokumente für die Bank!

Falls Sei eine Finanzierung benötigen, bitten Sie den Verkäufer umgehend um einen aktuellen Grundbuchauszug und eine aktuelle Brandschutzversicherungsbescheinigung. Ersteres Dokument wird immer von der Bank verlangt, letzteres oft. Bitten Sie darüber hinaus um alle sonstigen relevanten Dokumente in Kopie wie etwa: Rechnungen von durchgeführten Arbeiten, Nebenkostenabrechnungen, Grundsteuerbescheide, Flurpläne, Raumpläne, Photos, Angebote von anstehenden Renovierungsmaßnahmen und überhaupt alles, was irgendwie von Bedeutung sein könnte – je mehr Sie wissen, desto besser ist es für Sie.

Worauf bei der Hausbegehung achten?

Wahrheit und Dichtung

Hat man vorab die nötigen Rahmeninformationen über das Objekt eingeholt und die Nachbarschaft beschnuppert, geht es bei der tatsächlichen Besichtigung um den ganz *konkreten Zustand* des Häusleins.

Zunächst interessieren uns alle Mängel, deren Beseitigung notwendig ist und die Geld und Zeit kosten werden. Wenn wir uns das Haus leisten können, es aber mit unserem Budget nicht bewohnbar oder auch nur halbwegs wohnlich machen können, hat das ganze Projekt keinen Sinn. Wie oft hörte ich schon den Satz (und sprach ihn auch selbst): „Lass uns das Haus kaufen, den Rest machen wir, wenn wir Zeit und Geld haben. Das wird schon irgendwie gehen."

Oft endet dieser kühne Plan auf einer Dauerbaustelle, was Stress und Ärger verursacht. Das traute Heim verwandelt sich in einen Alptraum – manche Ehe ist schon darüber zerbrochen. Später werden ich Ihnen zeigen, wie Sie Ihre Renovierungsmaßnahmen so koordinieren können, dass Sie mit minimalstem Aufwand ein Haus (1) bewohnbar und (2) wohnlich machen und damit eine Basis für alles Weitere schaffen. Viel, wenn nicht alles hängt von der reellen Einschätzung des Objektzustands ab, den Sie bei der Besichtigung erkunden. Darum konzentrieren wir uns zuerst auf Mängel und zwar auf die schweren mehr als auf die leichten, weil wir nicht, wie naivere Zeitgenossen, das fertige Traumhaus sehen wollen und dann lächelnd denken, das schaffen wir schon, nein, vielmehr stellen wir uns vor, dass der nahende Winter uns obdachlos finden wird, wenn es uns nicht gelingt diese Behausung soweit instandzusetzen, dass wir in ihr nicht nur *überleben*, sondern auch *leben* können. Das klingt vielleicht etwas überzogen, aber Sie werden feststellen, wie dieses Gedankenspiel Ihren Blick auf die Immobilie radikal verändert: Sie lernen sich auf das Wesentliche zu konzentrieren und das ist bei einer Hausbesichtigung wohl das...Wesentliche.

Neben den konkreten Mängeln wollen wir nach Möglichkeit auch feststellen, welche Reparaturen oder Modernisierungen in näherer Zukunft, sagen wir innerhalb der nächsten fünf Jahre auf uns zukommen: Was hilft ein Schnäppchenhaus, wenn nach zwei Jahren die Heizung ausgetauscht und das Dach neu eingedeckt werden muss? Billig ist oft nicht besser, teuer aber auch nicht. Das richtige Maß ist entscheidend, das reelle eigene Maß.

Gehen wir nun in medias res und besprechen, worauf der Laie im Einzelnen achten sollte:

Das Dach

Hier interessieren uns vor allem: der Zustand der Eindeckung, des Dachstuhls, einschließlich der Lattung sowie die Dämmung, so denn eine verbaut wurde.

Je weniger an einem Dach „gemacht“ wurde, desto besser ist es meist. Ich habe schon Dachstühle von 100 und mehr Jahren gesehen, die besser in Schuss waren, als manches „abgedichtete und gedämmte“ Gewirk aus dem 80ern.

Achten Sie bei den Sparren auf Feuchtigkeitsschäden und Holzwurmbefall. Achten Sie auf Wasserflecken auf dem Boden – hier kann ein Schaden in der Eindeckung vorliegen. Biegt sich der First oder die Sparren durch, ist das oft ein schlechtes Zeichen. Auch hier kann ein Schaden oder eine Materialermüdung vorliegen. Manchmal, eher selten, wurden aber auch schlichtweg krumme Stämme verbaut, deren Unebenheiten dann mehr oder minder mit Brettchen ausgeglichen wurde oder eben nicht. Die Dachkonstruktion sollte trocken und frei von Schädlingsbefall sein. Ein Dach reparieren oder gar einen komplett neuen Dachstuhl aufsetzen zu lassen, ist sehr kostspielig und kann kaum in Eigenleistung durchgeführt werden.

Die Räume

Hier interessiert uns neben Schnitt, Hellichkeit und Begehbarkeit vor allem eins: Feuchtigkeit und Schimmel – der Fluch vieler alter und neuer Häuser in unseren feucht-kalten Breitengraden. Schimmel ist krankheits- und allergieerregend. Sie wollen in einem gesunden Haus leben und sich nicht mit Reizhusten, Hautausschlägen oder wer weiß was plagen müssen. Eine hässliche Tapete ist kein Mangel, der Sie schädigen wird (außer Sie haben einen überfeinen Sinn für Ästhetik), bei Schimmel sieht das schon anders aus.

Meiner Erfahrung nach gibt es zwei Ursachen von Schimmelbefall. Der eine liegt in einem Konstruktionsfehler des Hauses, wie etwa zu dünne Wände oder einer Fehlstelle im Putz oder im Dach durch die Regen eindringt. Der andere gründet in falschem Lüften und Heizen.

Die Beseitigung von Konstruktionsschäden kann je nachdem aufwendig sein. Hier müssen Sie am besten bei der Besichtigung schon herausfinden, ob es an einer lange unbeachteten Kleinigkeit, wie etwa einem gebrochenen Dachziegel liegt, oder ob Sie es mit einem substantielleren Problem zu tun haben: Fragen stellen, Photos schießen, Recherchieren, im Notfall auch einen echten Fachmann zu Rate ziehen.

Die zweite Ursache von Schimmelbildung zu eliminieren, ist dagegen recht einfach: Richtiges Heizen (d.h. Temperieren der am stärksten von Kälte betroffenen Bauteile, d.i. die Außenhülle des Hauses) und Lüften (d.h.

Kontrolle der Luftfeuchte).

Schimmel sieht übel aus und er riecht noch übler. Aber sehr oft handelt es sich nur um oberflächliche Probleme, die mit einfachen Mitteln behoben werden können. Wenn Ihr Haus nicht gerade in einem Fluss oder einem Sumpf liegt, haben Sie sehr gute Chancen dieses Problem dauerhaft in den Griff zu bekommen. Haben Sie also bitte keine Angst, sondern erkunden Sie rational und analytisch die Ursachen, bevor Sie urteilen.

Unsere Gesellschaft ist für dieses Thema derart sensibel geworden – eine ganze Sparte der Bauindustrie lebt davon! –, dass Schimmel einer der Primärfaktoren einer Kaufpreisreduktion geworden ist. Nutzen Sie das bei den Preisverhandlungen aus.

Eine Anekdote...

Die ausgebaute Dachwohnung eines zum Verkauf stehenden Zweifamilienhauses wird seit zwei Jahrzehnten von einer geistig verwirrten Dame bewohnt. Diese hat ein Faible für Zimmerpflanzen, fürs Kochen, Duschen und Wäschetrocknen. Angst hat Sie vor frischer Luft und Kälte. Ganzjährig läuft die Heizung und erzeugt eine Temperatur von gut 25 Grad. Während der beiden Jahrzehnte, die sie ihre 2-Zimmer-Wohnung behaust, hat Sie nicht ein einziges mal (!) eines der Kunststofffenster neueren Baujahrs geöffnet (man musste sie nachher aufstemmen)! Als die Wohnung gegen ihren Widerstand endlich begangen werden konnte, bot sich Bild des Schreckens. Alle Räume waren massiv von schwarzem Schimmel befallen, vor allem die Außenecken und Fensterlaibungen. Darüber hinaus wurde ein Ameisenhaufen (!!!) in der Wand hinter der Dusche entdeckt! Als die Frau ausgezogen war, bat der neue Eigentümer einen mir befreundeten Handwerker und mich, den Schaden zu begutachten – er verschwieg uns die Vorgeschichte. Mein Handwerkerfreund meinte schließlich, dass sei alles nur oberflächlich und noch zu beseitigen. Er fügte hinzu, dass komme eben davon, wenn man im Winter nicht richtig lüfte. Der erleichterte Hauskäufer meinte daraufhin, dass uns hier, schwarz und eklig, das Resultat von zwei Jahrzehnten falschen Wohnens umgab. Mein Bekannter und ich schüttelten ungläubig die Köpfe. Wir meinten einstimmig, dass sei unmöglich, dafür wäre der Schaden trotz seiner Optik zu gering. Nun gut. Wir forschten nach und es stellte sich bald Folgendes heraus: Eine Luke, die zum ungedämmten Spitzboden führte, sowie die Dachflächenfenster wiesen Undichtigkeiten auf, die zu einer permanenten Zwangsentlüftung geführt hatten. Diese hatte vermutlich den größten Schaden abgewendet. Der Schimmel wurde chemisch beseitigt, die Wand hinter der Dusche erneuert und seitdem gibt es dank angemessener Bewohnung keine Problem mehr – die undichte Luke hat mein Bekannter gelassen wie sie war: Warum verändern, was funktioniert und wenn es noch so kurios ist?

Neben dem Schimmel in den Wohnräumen interessieren uns weiterhin der Zustand der Wand- und Bodenverkleidungen. Hier geht es um die Frage, was wir austauschen werden und was bleiben darf. Ein gefliester Boden ist natürlich aufwendiger zu renovieren als ein lose verlegter Teppich oder ein Laminat. Eine verputzte und tapezierte Wand ist ggfs. leichter umzugestalten als ein offenes Mauerwerk. Prüfen Sie den Innenputz auf Festigkeit. Fragen Sie nach, ob Sie ein Stückchen Tapete in einer Raumecke oder unter einem Fenster aufreißen dürfen, um sehen, was dahinter ist – dies natürlich nur bei einem Sanierungsobjekt, nicht bei einem Haus, das ohnehin in Schuss ist oder gar noch bewohnt wird. Riechen Sie an hölzernen Wandverkleidungen – hinter Ihnen versteckt sich manch böse Überraschung.

Wie ist der Boden (nicht der Belag) beschaffen? Handelt es sich um einen Dielenboden, achten Sie darauf, ob die Dielen „wippen“ oder sich übermäßig durchbiegen. Hier kann das Material ermüdet oder von Feuchtigkeit angegriffen sein. Eine einzelne Diele auszutauschen, ist keine große Sache. Ist allerdings die gesamte Bodenkonstruktion angegriffen, wird die Sache weit komplizierter.

Fenster, Türen

Zustand und Alter interessieren uns hier. Ein Tipp: Ältere Häuser haben häufig noch Holzfenster, teils einfach, teils doppelt verglast im Kastenrahmen. An ihnen zeigt sich, ob und wie das Haus gepflegt wurde. Sind die Rahmen regelmäßig gestrichen worden? Sind die Scheiben sauber oder blind? Wie sieht die Fensterlaibung aus?

Haben Sie keine Angst vor alten Fenstern. Diese sind meist besser als ihr Ruf. Wenn Sie ein wenig undicht sind (nicht soviel, dass Sie einen unangenehmen Zug spüren), helfen sie mittels Entlüfung ein gesundes Wohnklima zu schaffen – doch mehr dazu später.

Was für die Fenster gilt, gilt auch für Außentüren, bzw. Haustüren.

Weniger wichtig, d.h. eher eine ästhetische Sache sind die Zimmertüren. Achten Sie darauf, dass diese vollständig vorhanden sind. In manchen alten Häusern wurden im Winter die Türen der beheizten Räume ausgehängt, um der Wärme die Verbreitung durch die übrigen Zimmer zu erlauben. Manchmal wurden sie dann nicht wieder eingehängt, manchmal auch entsorgt, sodass u. U. Türen fehlen. Da in älteren Häuser die Türen oft von

Handarbeit angefertigt wurden, d.h. keiner DIN-Norm entsprechen, ist passender Ersatz oft schwer zu finden, bzw. Sie müssen ihn sich selbst zurechtsägen.

Low-tech-low-cost Ideen: Antike Zimmertüren ersetzen

Antike Zimmertüren ersetzen: Kaufen Sie eine in der Breite passende Tür und sägen Sie oben und unten, bis es passt. Ebay ist voll von entsprechenden Angeboten. Zargen kann man nachträglich versetzen – entsprechendes Material ist beim Baumarkt günstig zu haben. Lackieren Sie Ihre Türe. Anstatt einer Türklinke, können Sie auch einen Türknopf anschrauben. Eine low-tech Verriegelung mittels Hacken und Öse kann auch der Laien einfach befestigen. Das Ergebnis ist charmant, ein wenig archaisch vielleicht, aber funktional und langlebig. Erwarten Sie kein 100%iges Ergebnis – für dieses müssen Sie einen Schreiner beauftragen. Eine neue Türe (Vollholz, Landhausstil) nebst Rahmen und Einbau wird dann zwischen 500€ und 1300€ kosten.

Die Haustüre sollte intakt sein – prüfen Sie bei dieser Gelegenheit spaßeshalber die Klingelanlage. Sollte diese nicht funktionieren, ist das nicht weiter tragisch. Funkklingen gibt es ab etwa 10€.

Bad, Küche

Öffnen Sie jeden Wasserhahn, um die Funktionalität der Leitungen zu prüfen. Ziehen Sie die Toilettenspülung ab. Lassen Sie sich weder von der Kücheneinrichtung, noch von der Ausstattung des Bades abschrecken. Beide Räume sind erstaunlich günstig zu renovieren, wenn man weiß wie und keinen Geschmack von der Stange hat. Ärgerlich sind nur hässliche Badfliesen, da diese recht aufwendig zu ersetzen sind. Auf der anderen Seite: Bedenken Sie, wie lange Sie sich jeden Tag im Bad aufhalten – es ist weit weniger als in jedem anderen Raum Ihres Hauses. Stellen Sie sich daher folgende Frage: Wenn Ihnen jemand 10.000€ dafür bieten würde, dass Sie dafür die nächsten zwanzig Jahre ein dunkelgrüngefliestes Bad benutzen müssten, würden Sie sich darauf einlassen? Viele würde das bejahen. Haben Sie also auch keine Angst vor unmodernen Bädern.

Ein hässliches Bad hat einen nicht zu unterschätzenden Einfluss auf den Kaufpreis, der leicht fünfstellig ausfallen kann. Aus dieser Warte betrachtet, dürfen Sie sich über die Designsünden der sechziger bis achtziger Jahre auch ein wenig freuen, solange sich diese auf den Badbereich beschränken. Meines Erachtens ist die beste Farbe für ein solches Bades Gold: Lassen Sie sich das Bad, dass selbst einer unterweltischen Gottheit Schrecken einjagen würde, einfach durch einen Nachlass im Kaufpreis des Hauses vergolden.

Ist eine Einbauküche vorhanden, prüfen Sie, inwiefern Sie sie ganz oder partiell (Einbaugeräte, Arbeitsplatten etc.) weiternutzen können. Oft lassen sich Einzelteile wie Schranktüren oder die Arbeitsfläche austauschen, sodass man sich den Kauf einer neuen Küche sparen kann. Wichtiger sind Gerätschaften wie Herd, Kochplatte, Spülmaschine und Kühlschrank. Auch hier gilt: Gefällt Ihnen nicht, was Sie sehen, ist das kein Grund, das Haus als Ganzes abzulehnen, sondern nur eine Möglichkeit, den Preis zu drücken.

Keller

Ist der Keller feucht oder gar nass? Wasserflecken am Boden und an den Wänden, sowie Versinterungen (kristalline Strukturen) lassen Etwaiges vermuten. Viele alte (auch junge) Häuser haben feuchte oder eben nasse Keller – häufig sogar so intendiert oder zumindest von den Bauherrn billigend in Kauf genommen, um beispielsweise Gemüse kühl zu lagern oder dem lieben Kleinvieh zur Behausung. Man kennt den Rüben- und Kartoffelkeller noch aus Großmutters Zeiten. Vor einem feuchten Keller braucht man prinzipiell keine Angst zu haben, solange die Feuchtigkeit nicht von unten in den Wohnbereich eindringt. Natürlich ist er als Lagerraum für das Familienalbum dann nicht mehr geeignet – dafür war er aber auch nie gedacht. Man muss dafür sorgen, dass die Feuchtigkeit nicht zu Bauschäden führt. Mit Kellersanierungen wird heute ein Vermögen verdient. Dass ein Keller je dauerhaft trocken geblieben wäre, ist mir persönlich unbekannt. Selbst bei Bauten jüngeren Datums weisen die isolierenden Maßnahmen (Teeranstriche, Bitumenbahnen, Folien etc.) nach einer Weile Schäden auf, was zum Eindringen von Feuchtigkeit führt. Immerhin ist eine Keller nichts anderes als ein Loch in der Erde! Besser, als das Wunder eines trockenen Kellers vollbringen zu wollen, ist es, das Geld anderswo zu investieren und sich im Kellerbereich lediglich um den Erhalt des Status quo zu bemühen. Je weniger Sie hier „sanieren“, desto bester ist es. Ist Ihr Keller aus Naturstein, verputzen Sie ihn am besten gar nicht. Und wenn, benutzen Sie echten Kalkmörtel und Kalkfarbe. Sorgen Sie zudem für ausreichende und ganzjährige Belüftung. Wer plant, den Keller als Wohnraum zu nutzen, sollte lieber ein Haus neueren Datums wählen. Zwar sind auch Ausbauten von uralten Gewölbekellern möglich und zugegebenermaßen auch sehr charmant (in meiner Gegend gibt es etliche Weinstuben, die in alten Weinkellern untergebracht sind), aber eben sehr kostenintensiv und aufwendig in Wartung und Unterhalt.

Wasser und Strom

Das Alter und vor allem das Material der Wasserleitungen sollte unbedingt festgestellt werden. Sind Reparaturen oder ein Austausch nötig, möchte man diese zuerst angehen, da hier viel Schmutz und Dreck anfällt – außerdem ist die funktionierende Wasserversorgung eines Hauses essentiell für dessen Bewohnbarkeit. Grundsätzlich gilt: Wenn die Leitungen bereits aus verzinkten Eisen sind und nicht lecken, muss man sie auch nicht ersetzen, auch wenn einem jeder Installateur schon aus berufsmäßigem Interesse zum Gegenteil raten wird. Bleileitungen müssen allerdings aus gesundheitlichen Gründen ausgetauscht werden – sie sind in Deutschland verboten. Leitungen neueren Datums erkennt man an der Wahl des Materials: Sie sind oft aus Kunststoff (schwarz) oder Kunststoff-Metall-Verbindungen (Alu-Verbundrohre sind meist weiß). Offen laufende Warmwasserleitungen (Heizung, Brauchwasser) sollten gedämmt sein. Ist dies nicht der Fall, kann man das selbst ohne große Mühe nachholen – die nötigen Dämmstoff-Rohre gibt es in passenden Größen günstig im jedem Baumarkt.

Prüfen Sie das Material der Abwasserrohre. Gusseiserne Rohre können mit den Jahrzehnten verstopfen. Kunststoffrohre sind dagegen billig, robust und langlebig. Auch der Laie kann sie mühelos verlegen.

Bei der Elektrik gilt das gleiche wie beim Wasser-Abwassersystem: Prüfen Sie Alter und Leistungsfähigkeit der Installation. Je nachdem wie Ihr Verbrauchsverhalten liegt, können Sie einschätzen, ob die Anlage für Ihre Bedürfnisse noch ausreicht. Planen Sie in jedem Zimmer eine Stereoanlage und einen Fernseher zu betreiben, können ältere Installationen wohl nicht mehr mithalten. Planen Sie mit Strom zu heizen oder warmes Wasser via E-Boiler zu produzieren, sollte auch hier die entsprechende Leistungsfähigkeit überprüft werden. Wenn Sie kaum mehr als einen Laptop und eine Glühbirne in Benutzung haben, dürfte auch eine ältere Installation noch ausreichen.

Werfen Sie einen Blick in den Sicherungskasten, optimal ist es, wenn bereits FI-Sicherungen verbaut sind.

Dezentrale Warmwasserbereitung

Häufig wird in betagteren Häusern Warmwasser durch E-Boiler oder Durchlauferhitzer erzeugt. Es gibt kleinere Versionen unter dem Spülbecken, dem Waschbecken, in der Dusche etc., die mit Normalstrom funktionieren, während größere an der Wand installierte Geräte Starkstrom benötigen. Klein oder groß – diese Geräte sind erstaunlich langlebig und vergleichsweise günstig im Betrieb, wenn man sie entsprechend benutzt, d.h. wenn man nur soviel warmes Wasser produziert, wie tatsächlich auch gebraucht wird und nicht zu jeder Tages- und Nachtzeit stets 200 Liter auf Temperatur hält. Reißen Sie also nicht gleich jeden Durchlauferhitzer von der Wand, sondern überprüfen Sie zunächst, ob er funktioniert und ob er Ihren Ansprüchen nicht doch genügt. Warmes Wasser ist warmes Wasser, egal ob es im holz-, öl- oder strombefeuerten Boiler erhitzt wurde.

Heizung

Hier gilt es das warmwasserführende Leitungssystem einer Zentralheizung, die Heizkörper, den Brenner und evtl. die Brennstofftanks zu begutachten. Alter, regelmäßige Wartung, Lecks usf. sind von Interesse. Um es gleich vorauszuschicken: Ich mag keine Zentralheizungen; ich halte ihren Einsatz in Einfamilienhäusern für grundsätzlich ineffizient, was das Kosten-Nutzen-Verhältnis angeht. Eine Heizanlage für mehrere zehntausend Euro ist für die recht eng bemessenen Wärmebedürfnisse eines Hauses mit sagen wir 130qm Wohnfläche vollkommen überdimensioniert. Im Letzten bleibt es aber eine Frage des Geschmacks und des Geldbeutels.

Heizbrenner haben eine Lebenserwartung zwischen 15-30 Jahren. Ältere Modelle haben einen deutlich höheren Verbrauch. Heizkessel, die vor 1978 verbaut wurden, müssen in jedem Fall ersetzt werden – der Gesetzgeber schreibt dies vor. Der Austausch einer Heizanlage schlägt mit mehreren tausend Euro zu Buche, daher sollte man genau das Baujahr und den Zustand begutachten. Fragen Sie, welche Reparaturen durchgeführt und ob die Anlage regelmäßig gewartet wurde. Heizöltanks müssen dicht, die Belüftungsanlage intakt sein. Die Tanks sollten grob alle zehn Jahre von innen gereinigt werden. Das muss eine Fachfirma durchführen, was, Sie ahnen es schon, nicht kostenlos ist.

Wichtig ist auch zu überprüfen, ob die Heizanlage überhaupt korrekt dimensioniert ist. Ist sie zu groß, verbraucht sie im zu viel. Wenn später das Dachgeschoss ausgebaut oder eine Anbau ausgeführt wurde, kann es im umgekehrten Fall auch sein, dass die Leistung der bestehenden Heizung nicht mehr für alle Räumlichkeiten ausreicht, bzw. die Heizanlage über Gebühr beansprucht werden muss.

Über weitere Heizungsarten, wie Einzel- und Nachtspeicheröfen sprechen wir später. Wichtig ist für Sie im Moment nur, ob die Heizung funktioniert.

Grundstück, Nebengebäude, Anbauten, Umbauten

Weil wir es gerade davon hatten: Holen Sie sämtliche Informationen über eventuelle An- und Umbauten ein. Fragen Sie überhaupt oft und viel nach. Fragen kostet nichts, nicht fragen kann allerdings sehr kostspielig werden! Dokumentieren Sie den Zustand der Nebengebäude wie den des Hauptgebäudes, so denn welche vorhanden sind.

Weiter: Ist eine Garage vorhanden? Ein Gartenhaus?

Vor allem alte landwirtschaftlich genutzte Gebäude wie Scheunen oder Maschinenhallen sind in ihrem positiven wie negativen Potential nicht zu unterschätzen. Egal ob und wie sie genutzt werden – wie jedes Gebäude müssen auch sie unterhalten werden, was u.U. kostspielig ist. Sie können eine baufällige Scheune nicht einfach ignorieren und nur das Wohnhaus herrichten. Sind die Nebengebäude in schlechtem Zustand oder wünscht man sich an ihrer Stelle eine Wiese, muss abgerissen werden, was ebenfalls teuer ist. Auf der anderen Seite kann ein gut erhaltenes Nebengebäude auch als zusätzliche Wohnraumreserve dienen. Es kann einen Keller ersetzen oder einen Dachboden oder eine Garage oder alles gemeinsam und dies mehrfach. Man kann kleinen und großen Kinder ein Abenteuer- und Freizeitparadies einrichten, oder ein Gewerbe eröffnen – der Phantasie sind keine Grenzen gesetzt.

Zweimal ansehen und zusätzliche Augen mitbringen

Sehen Sie sich ein Haus, das Ihnen gefällt, mindestens zweimal an. Der zweite Termin sollte zu einer anderen Tageszeit und an einem anderen Wochentag stattfinden. Immobilien, die Sonntagabend idyllisch und ruhig wirken, können Dienstagvormittag unerträglich laut sein.

Nehmen Sie für die zweite Besichtigung einen Berater mit, dessen Expertise Sie vertrauen. Beachten Sie – es gibt einen Unterschied zwischen Expertise und Experte. Wir Deutsche sind expertengläubig. Sobald uns jemand ein Diplom zeigt, glauben wir ihm alles, auch wenn es dem gesunden Menschenverstand glatt widerspricht. Als ein Bekannter sein Haus (Bj. 1910) verkaufte, wurden von zwei Interessenten Architekten und von einem ein Baugutachter mitgebracht, um das Objekt zu begutachten. Er stimmte der peinlich genauen Dokumentation des Bauzustands zu, sofern er eine Kopie des Gutachtens erhalten würde – rein interessehalber, wie er mir später sagte.

Das Resultat war erschreckend: Alle drei Sachverständigen schätzten das Objekt hinsichtlich des Zustand völlig unterschiedlich ein, jedem fielen andere Dinge auf. Die Aussagen reichten sinngemäß von: Hier können Sie einfach einziehen, bis: das muss alles neu gemacht werden.

Soviel also zu den Experten.

Ziehen Sie in Erwägung, Menschen zu vertrauen und zu Rate zu ziehen, die

1. es gut mit Ihnen meinen: Ein neidischer „Freund“ wird Ihnen vielleicht eine tolle Immobilie ausreden oder eine Bruchbude empfehlen. Eltern dagegen oder vollkommen neutrale Personen werden tendenziell eher Ihr Wohl im Auge haben und daher ehrlich mit Ihnen sein.
2. die es selber richtig gemacht haben: Wenn ich ein

altes Haus kaufen und renovieren will, sollte ich Menschen um Rat angehen, die am besten vergleichbare Häuser erfolgreich renoviert und bewohnt haben. Ein Architekt, der auf Neubauten spezialisiert ist, wird ein Fachwerkhaus anders begutachten, als einer, der auf die Restauration historischer Gebäude spezialisiert ist. Doch auch in letztgenannter Gruppe gibt es Unterschiede. Einige wollen ein betagtes Haus in einen Neubau verwandeln. Die andere, weitaus günstigere und in diesem Buch empfohlene Herangehensweise präferiert dagegen eine behutsame Restaurierung und nachgängig eine vorsichtige Modernisierung des Bestands.

3. die Referenzen und Sachverstand nachweisen können: Dank dem Internet kann sich auch der Laie mittels Foren und einschlägiger Seiten Etliches an Grundwissen aneignen, wobei bei der Fülle und stark abweichenden Qualität der Informationen immer Vorsicht geboten ist. Nichts ist gefährlicher, als gefährliches Halbwissen. Für jedes Problem gibt es mindestens zwei sich widersprechende Lösungen. Trotzdem lohnt das autodidaktische Studium allein schon deshalb, weil Sie für bestimmte Problemstellungen generell sensibilisiert werden. Zudem schnappen Sie den einen oder anderen Fachbegriff, der Ihnen helfen kann den Diplom- vom echten Experten zu unterscheiden. Zum Beispiel hatte der Keller im jenem Haus meines Bekannten eine „preußische Kappendecke“. Wissen Sie, was eine preußische Kappendecke ist? Er wusste es nicht, und zwei (!) der bezahlten Architekten, die das Haus begutachteten, wussten es seltsamerweise auch nicht. Würden Sie jemanden bei einem Hauskauf um Rat fragen, der nicht einmal benennen kann, um welche bauliche Eigenart es sich eigentlich handelt?

Sachverstand ist das eine, Referenzen das andere. Wenn ein Architekt über mehrere Jahrzehnte etliche historische Gebäude, große und kleine, erfolgreich restauriert hat, kann man davon ausgehen, dass er von dem Thema Ahnung hat, seine Meinung ist entsprechend wertzuschätzen.

Tipp! Frag jemanden, der es weiß!

Halten Sie sich an diese einfache Regel: Wenn Sie unschlüssig sind, fragen Sie jemanden, der mehr weiß als Sie.

Verhandeln!

Sie haben es fast geschafft! Sie haben ein passendes Objekt gefunden und verfügen über die Mittel, es zu kaufen und zu renovieren – über die reellen Kosten und den Ablauf einer Renovierung reden wir später. Nun geht es ans Verhandeln.

Zunächst rufen Sie sich bitte die gesamte finanzielle Aufwendung für Ihr Vorhaben ins Bewusstsein. Neben dem Kaufpreis erwarten Sie noch folgende Kosten:

evtl. Maklergebühr: ca. 3,5-7%

Notarkosten, Grundbuchkosten, Eintragung einer Grundschuld etc.: ca. 1,5%

Grunderwerbssteuer: Je nach Bundesland zwischen 3,5% und 6,5%

Sie haben also bestenfalls um die 5,5%, schlechtestenfalls um die 15%, die Sie dem vereinbarten Kaufpreis zuschlagen dürfen.

Eine Immobilie um 100.000€ kann Sie also real bis zu 115.000€ kosten, exklusive Umzug, Renovierungsarbeiten, Doppelbelastung Rate-Miete, Bankgebühren, anfallende Zinsen etc. Das ist eine Menge Geld. Verhandeln lohnt sich also auf jeden Fall! Normalerweise ist im Kaufpreis immer ein wenig Spiel. Die Bezeichnung „Verhandlungsbasis“ impliziert ja bereits eine Verhandlungsmöglichkeit. Aber auch im Festpreis sind ein paar Prozent immer noch zu drücken, wenn man freundlich fragt und echtes Interesse an einem schnellen Kauf zeigt. Meiner Erfahrung nach haben Immobilienpreise zwischen 5-30% Spielraum, wobei diese Zahlen stark vom Objekt und der aktuellen Marktlage abhängig sind.

Wir Deutschen sind ausnehmend schlechter Verhandler. Viele empfinden es als unangenehm über einen Preis zu reden, und wenn sie sich doch dazu durchringen, beginnen sie ihre Verhandlungen etwa so:

Hm, ja, das Haus ist sehr schön. Genau das haben wir immer gesucht. Toll. Wir werden es auf jeden Fall kaufen. Es ist unser Traum. Ach ja. Nun... Ist im Preis noch etwas zu machen?

Der Makler oder etwas gewieftere Eigentümer wird sinngemäß etwa dies antworten: Das Haus ist schon unter Wert angesetzt. Wenn Sie es nicht kaufen, kauft es eben ein anderer. Ich habe alleine heute Vormittag schon wieder vier neue Besichtigungsanfragen bekommen. Entweder Sie schlagen zu oder Sie gehen leer aus. Ihre Sache...

Es gibt unendlich viel Literatur zum Thema „Verhandlungsführung“. Ich will daher gar nicht weiter ins Detail gehen, sondern nur einige praktische Tipps mit Ihnen teilen. Zunächst lassen Sie sich nie in die Karten schauen. Seien Sie weder übereuphorisch (das schwächt Ihre Verhandlungsposition), noch zu kritisch (das suggeriert, dass Sie kein echtes Interesse haben).

Wir (mein Weib und ich) haben es so gemacht: Ein Haus hat uns gut gefallen – wir haben es den Verkäufer nicht spüren lassen. Nach ein paar Tagen baten wir um einen zweiten Besichtigungstermin. In der Zwischenzeit berechneten wir überschlägig den Renovierungsaufwand und klärten die finanziellen Möglichkeiten. Direkt nach einem zweiten Besichtigungstermin, auf den wir uns sehr eingehend vorbereitet hatten, baten wir uns ein paar Minuten Bedenkzeit aus. Nach kurzer Absprache einigten wir uns darauf, ob wir nun definitiv kaufen wollen oder nicht. Für den Fall einer positiven Entscheidung hatten wir uns bereits im Vorfeld Gedanken über unser preisliches Limit gemacht – sehr konkrete Gedanken. Natürlich war die Finanzierung längst geregelt.

Tipp! Eigene Bonität prüfen!

Regeln Sie Ihre Finanzierung vor einer

Kaufentscheidung, nicht erst danach! Wie häufig sind mir schon Kaufinteressenten begegnet, denen die Bank nach zwei Wochen Bearbeitungszeit mitteilte, dass sie schlicht nicht kreditwürdig seien! Sie benötigen entweder ein ausreichendes Vermögen und/oder eine entsprechende Finanzierungszusage, um ein Haus kaufen zu können!

Wir konfrontierten nun den Eigentümer mit folgendem Vorschlag: Wir würden das Haus definitiv und sofort kaufen...allerdings zu unserem Preis und der lautet... Von uns aus könnten wir heute Nachmittag oder wann es eben passt, zum Notar gehen. Auch eine Anzahlung kann geleistet werden.

Statt also einfach um einen Nachlass zu bitten, können Sie dem Verkäufer etwas Handfestes anbieten: Den sofortigen Kauf und eventuell eine Anzahlung. Das macht viele Zeitgenossen schwach. Denken Sie an die Summen, um die es geht! Würde der Verkäufer warten, könnte er vielleicht ein paar tausend Euro mehr bekommen. Doch der Teufel steckt im Konjunktiv. *Könnte...* Nimmt er das Angebot an, ist das Geschäft im Sack und er um einen Batzen Geld reicher. Dieser Versuchung ist nur schwer zu widerstehen, und wenn Ihr Angebot angemessen ist, haben Sie eine reelle Chance, auch eine Zusage zu bekommen.

Tipp! Feilschen!

Versuchen Sie auf jeden Fall zu verhandeln. Bei diesen Größenordnungen zahlt sich jedes Promille aus. 10% des Kaufpreises sollten Sie grundsätzlich und mindestens anpeilen.

Die Kaufabwicklung

Der große Tag ist gekommen – man trifft sich beim Notar seiner Wahl zur Vertragsunterzeichnung. Da die Gebühren und Leistungen von Notaren rechtlich normiert sind, spielt es an sich keine Rolle, wessen Dienste Sie in Anspruch nehmen.

Aber gehen wir einen Schritt zurück, und vergegenwärtigen uns kurz, wie man einen Notartermin organisiert. Wir gehen davon aus, dass bei unserem Kauf kein Makler im Spiel war, der uns diese marginale Arbeit abgenommen hat, um sein gewaltiges Honorar irgendwie zu rechtfertigen und wir gehen weiter davon aus, dass der Verkäufer unseres Hauses ebenfalls keinerlei Erfahrungen hat und zudem eine gewisse Portion Behördenscheu mitbringt. Wir nehmen die Sache also selbst in die Hand, was ohnehin meist das Beste ist.

Checkliste: Notar

Wenn Sie sich mit dem Verkäufer über die Kaufmodalitäten wie Preis und Übergabetermin usf. einig geworden sind, geben Sie dem Notariat neben Ihrem Wunsch, eine Immobilie zu erwerben, bitte folgende Informationen weiter:

Vollständiger Name (mit Geburtsname) des/der *Käufer*.
Derzeitige gemeldete Anschrift laut Ausweis.
Geburtsort und Datum.

Vollständiger Name (mit Geburtsname) des/der *Verkäufer*.
Derzeitige gemeldete Anschrift.
Geburtsort und Datum.

Bankverbindung zur Zahlung des Kaufpreises.

Adresse des Objekts
Flurnummer und Grundbuchnummer (notfalls im Grundbuchamt zu erfragen)
Kurze Beschreibung des Objekts: Ein Einfamilienhaus mit 100qm Wohnfläche und 300qm Grundstück.

Der Preis und eventuelle Übergabe- oder Zahlungsvereinbarungen.
Einen Terminwunsch für die Vertragsunterzeichnung
Hier ist es besser, einfach zu telefonieren. Fragen Sie bitte zuvor den Verkäufer, wann es ihm recht ist.

Diese Informationen genügen dem Notar, um tätig zu werden. Übermitteln Sie sie am besten per Email. Haben Sie Fragen rund um das Prozedere, rufen Sie einfach im Büro an; man wird Sie dort sachlich und zuvorkommend beraten.

Der Notar wird den Parteien nun per Email oder brieflich (ganz nach Wunsch) einen *Vertragsentwurf* zukommen lassen. Lesen Sie diesen gründlich durch, aber erwarten Sie keine Überraschungen zu finden. Immobilien zu kaufen und zu verkaufen ist in Deutschland sehr strikt geregelt, wird aber auch sehr routiniert durchgeführt. Fragen Sie im Zweifel den Notar oder den Sachbearbeiter – dafür wird er bezahlt. Lassen Sie sich alles genau erklären.

Bei der Unterzeichnung wird der Vertrag den unterzeichnenden Parteien schließlich verlesen. Bringen Sie Ihren Personalausweis oder einen gültigen Reisepass zur Feststellung der Personalien mit. Falls noch Änderungswünsche im Vertrag bestehen, kann man diese jetzt noch diskutieren und einbringen.

Falls Sie eine Grundschuld eintragen lassen müssen,

wird dies normalerweise direkt nach dem Kaufvertrag erledigt. Teilen Sie der Bank rechtzeitig den Notar Ihrer Wahl mit, damit die Damen und Herren die notwendigen Papiere austauschen können. Sie bekommen davon üblicher- und erfreulicherweise wenig bis gar nichts mit. Einige Abschriften werden Sie erreichen, die Sie Ihren Unterlagen hinzufügen sollten. Es folgt das gleiche Spiel wie beim Kaufvertrag: Verlesen, unterzeichnen und fertig.

Nach der Unterzeichnung beginnen die Mühlen der Justiz zu mahlen. Sie mahlen langsam und gründlich. Sie bekommen in den folgenden Wochen viel Post und eine Reihe von Rechnungen für diverse Amtshandlungen. Der Makler wird ggfs. sein Honorar einfordern. Irgendwann erhalten Sie eine Fälligkeitsmitteilung vom Notar. Jetzt muss der Kaufpreis auf das im Kaufvertrag angegebene Konto des Verkäufers gezahlt werden. Falls Sie einen Kredit mit einer Bank ausgehandelt haben, geben Sie die Fälligkeitserklärung Ihrem Sachbearbeiter dort weiter, er wird den Betrag dann anweisen.

Der Verkäufer muss umgehend den Eingang des Kaufpreises dem Notar anzeigen. Hat er das getan, wird das Eigentum rechtswirksam übertragen. Auch hier bekommen Sie wieder Post und ein paar Rechnungen.

Übergabe

Irgendwann nach der Vertragsunterzeichnung und meist vor Zahlung des Kaufpreises steht die Übergabe der Immobilie – sie ist vertraglich terminiert. Das Häuschen wird üblicherweise geräumt – außer Sie haben sich anders geeinigt – und besenrein übergeben. Falls sich der Zustand seit der letzten Besichtigung verschlechtert haben sollte (normale Abnutzung ausgenommen!), zeigen Sie dies bitte dem Verkäufer und dem Notar unverzüglich an! Vielleicht ging eine Fensterscheibe beim Abtransport der Möbel zu Bruch – so etwas kommt vor. Der Verkäufer hat den Schaden dann zu beheben oder eine Ersatzleistung zu erbringen, bevor Sie den Kaufpreis bezahlen müssen. Im Zweifel sprechen Sie mit dem Notar, der kennt sich in diesen Fall berufsbedingt aus und kann zur Not auch zwischen den Parteien vermitteln.

Tipp! Protokoll/ Zählerstände!

Fertigen Sie ein Übergabeprotokoll wie bei einer Wohnungsübergabe an. Kostenlose Vordrucke finden sich zuhauf im Internet, z.B. unter mieterbund.de.

Vergessen Sie nicht, die Zählerstände den Versorgungsbetrieben anzuzeigen und sich gleichzeitig um neue Verträge zu bemühen.

Achtung!

Teilen Sie Ihrem Telekommunikationsanbieter rechtzeitig den Umzug in das neue Haus mit. Der Umzug eines Telefonanschlusses benötigt teilweise bis zu acht Wochen Vorlauf. Geben Sie ein definitives Datum an, um Leerlauf vorzubeugen.

Noch etwas: Die Grundsteuer zahlt grundsätzlich, wer am 1. Januar des Jahres Eigentümer der Immobilie ist oder war. Der Verkäufer hat aber das Recht, den Differenzbetrag vom Jahresrest anteilig vom Käufer einzufordern. Es geht hier um eine verhältnismäßig kleine Summe, die aber schon für viel böses Blut gesorgt hat, weil viele eben nicht über diese Besonderheit Bescheid wussten und sich zu Unrecht übervorteilt gefühlt haben. Nun wissen Sie es. Wenn Ihr Verkäufer Ihnen also den Steuerbescheid vorlegt und Sie bittet, ihm anteilig die Steuer zu erstatten, tun Sie es einfach. Manchmal verzichtet der Verkäufer aber auch aus Kulanz oder Unwissenheit auf seine Forderung. Ich empfehle in diesem Fall den Hund einfach schlafen zu lassen. Das Geld haben Sie ohnehin selbst nötig, denn nun geht es ans Renovieren...

II. Renovieren mit Köpfchen

Grundgedanken

Begriffe

Ich unterscheide folgende wesentliche Begrifflichkeiten nach ihrem Wortsinn:

Instandsetzung (lat.: re-parare: wieder-herstellen): Etwas wird in seinen funktionellen Urzustand zurückversetzt, d.h. mit dem geringst möglichen Aufwand repariert.

Beispiel: Anstelle des ganzen Fensters tauscht man nur die gebrochene Scheibe aus und kittet den Rahmen.

Modernisierung (von lat.: modernus: neu): Etwas wird durch etwas Neueres, funktional aber Identisches ersetzt, sofern jenes effizienter, kostengünstiger oder sonstwie komfortabler ist.

Beispiel: Ein alter, elektrischer Warmwasserboiler wird durch einen neueren ersetzt, der über eine Energiespar- und/oder Timerfunktion verfügt.

Eine Raufasertapete gelber Farbe wird neu gestrichen.

Renovierung (lat. renovare: erneuern, freier: in seinen Urzustand zurückversetzen): Bezeichnet ein Maßnahmenbündel, das aus Modernisierungen und Instandsetzungen besteht und einen größeren Aufgabenkomplex betrifft.

Beispiel: Ein Schlafzimmer wird renoviert. In diesem Zimmer werden die Tapete, der Teppichboden und die Deckenpaneele entfernt. Der Unterputz wird ausgebessert (repariert), der Dielenboden von Kleberesten befreit (repariert) und eine neue Gipskartondecke (Modernisierung der Paneeldecke) installiert. Die Wand wird frisch tapeziert und gestrichen (modernisiert), der Dielenboden abgeschliffen und mit Leinöl eingelassen, schließlich die Decke verspachtelt, tapeziert und gestrichen.

Sanierung (lat. sanare: heilen, etwas „Krankes“ gesund

machen): Unter Sanierung verstehen wir die Beseitigung von substantiellen Schäden am Haus, die zum Funktionsverlust von Bauteilen geführt haben.

Beispiel: Einige Dachsparren sind morsch, die Eindeckung ist teils löchrig und vermoost. Eine partielle Instandsetzung ist nicht mehr möglich oder sinnvoll (Kosten-Nutzen-Verhältnis). Wir entscheiden uns, die defekten Sparren auszutauschen und die Eindeckung komplett zu erneuern – wir sanieren das Dach.

Sanieren bedeutet heutzutage immer häufiger Abreißen und Ersetzen eines kompletten Systems; wir werden uns mit diesem Trend kritisch auseinanderzusetzen haben. Nicht immer ist die radikalste Methode auch die beste für den sie zahlenden Bauherrn.

Soviel zur Terminologie.

Erst denken, dann spachteln!

Man kann so aufwendig und kostenintensiv renovieren, wie man bauen kann. Den Möglichkeiten sind kaum Grenzen gesetzt. Wir konzentrieren uns hier jedoch auf extrem günstige Varianten. Mit extrem günstig meine ich nicht: qualitativ minderwertig. Das Gegenteil trifft zu. Eine Renovierungsmaßnahme, die nach drei oder fünf Jahren wiederholt oder repariert werden muss, betrachte ich als teuer. Eine anständig mit hochwertigem Kalkmörtel verputzte Wand, die mich bei korrekter Klimatisierung fast schadlos überleben wird, betrachte ich dagegen als günstig und angemessen, wenn auch das Material etwas teurer ist.

Tipp! Was lohnt sich? Was sich lohnt!

Teuer ist nicht immer besser, billig nicht immer preiswert. Um das optimale Verhältnis von Qualität und Preis besser bestimmen zu können, rechnen Sie den Preis gegen die zu erwartende Lebens- und/oder Leistungsdauer auf.

Ein Gedankenspiel zur Verdeutlichung – Das beste gegen das schlechteste Auto der Welt.

Das beste Auto der Welt: Kosten 30.000€ Laufleistung 300.000km vs. das schlechteste Auto der Welt: Kosten 10.000€ Laufleistung 150.000km.

Verbrauch, Verschleiß, Versicherung pro km usf. sind identisch.

Das beste Auto der Welt kostet pro km (Kaufpreis/Laufleistung): 0,1€

Das schlechteste Auto der Welt kostet pro km: 0,07€

Das schlechteste Auto der Welt ist also über die Gesamtlaufleistung preis-werter als das beste (weswegen es den Namen „Das Beste“ eigentlich nicht verdient).

Erweitern wir das Spiel um eine weitere Komponente.

Das beste *gebrauchte* Auto der Welt bekommen Sie mit einem Kilometerstand von 200.000 (1/3 Restlaufleistung) für 5.000€.

Das schlechteste gebrauchte Auto bekommen Sie mit einem Kilometerstand von 50.000 (2/3 Restlaufleistung) für 5.000€.

Stellen wir die Kosten für die erwartete Restlaufzeit pro km fest:

Das beste: 0,04€

Das schlechteste: 0,05€

Nun gewinnt das beste Auto.

Mit der Zeit habe ich angefangen, immer mehr Arbeiten rund ums Haus selbst durchzuführen. Ich brachte, wie bereits gesagt, keinerlei Erfahrung mit. Aber ich konnte und kann Maßnahmen durchdenken. Ich *verstehe*, was ich tue. Das hilft bei der Planung und bei der korrekten Ausführung. Tatsächlich beginnt eine erfolgreiche

Renovierung im Kopf – man muss genau wissen, *was* überhaupt gemacht werden *muss*, was gemacht werden *soll*, was gemacht werden *kann* und schließlich *wann*, *wie* und *womit*.

Tipp! Das Wesentliche nicht aus den Augen verlieren!

Folgende Grundgedanken haben mich dabei immer gut geleitet:

1. Wie soll der Wohnraum grundsätzlich beschaffen sein, was muss er für mich tun?

Meine Antwort: Er soll *warm* und *gesund* sein.

2. Muss ich diese bestimmte Maßnahme unbedingt ausführen? Was wäre, wenn ich sie nicht durchführen würde?

Meine Erkenntnis: Viele scheinbar nötige Renovierungen können geschoben und durch partielle Instandsetzungen und Modernisierungen ersetzt werden.

3. Wage, Dich Deines Verstandes und eigenen Urteils zu bedienen: Das häufigste, was ich von Maklern und Handwerkern über den Zustand einer Immobilie gehört habe, war sinngemäß dieser Satz: Das muss man alles neu machen, das ist nicht mehr zeitgemäß. Irgendwann fragte ich einmal zurück: Warum eigentlich? Ich bin in einem alten Haus (ich denke Bj. 1890) groß geworden und es hat mir dort gefallen. Was ist eigentlich schlecht daran? Warum muss man es heute anders/neu machen?

Ja, warum eigentlich? Warum immer neu und mehr und besser? Warum ist genug nicht einfach...genug? Ich bitte Sie, einmal über Folgendes nachzudenken:

Vorsicht bei Werbung und common sense!

Die sinngemäße Werbebotschaft eines Heizungsbauers:

Günstig heizt Du Dein Haus mit einer Zentralheizung von...

In diesem Satz stecken zwei *unzulässig* voneinander abhängige Aussagen:

(A) Das Eigentum an einer Zentralheizung ist die Bedingung für...

(B) ...dass die Räume günstig temperiert werden.

Merken Sie etwas? Der Zusammenhang zwischen (A) und (B) ist reine Konstruktion. In Deutschland heizte man auch schon vor hundert Jahren. Und auch damals sollte es warm und die Wärme nicht allzu teuer sein. Koks war noch nie billig! Holz schlagen, sägen, transportieren, spalten, stapeln, trocknen war noch nie mühe- und kostenlos. Ist die Wärme heute eine andere? Ist das Bedürfnis nach Wärme ein anderes? Warum muss ich ein Bedürfnis eigentlich immer auf zeitgemäße Art und mit großem Aufwand befriedigen? Warum kann ich nicht auf traditionellere Mittel zurückgreifen, insbesondere, wenn diese für mich günstiger und effizienter sind?

Unsere konsumorientierte Wirklichkeit konditioniert uns darauf, nicht mehr zu reparieren oder Bestehendes zu verbessern (modernisieren). Stattdessen sollen wir wegwerfen und neu kaufen. Dass dieses Verhalten nicht nur individuell unsinnig ist, sondern auch auf globaler Ebene katastrophale Folgen zeitigt, ist heute – paradoxerweise – jedem bekannt. Die Antwort unserer wachstumsbesessenen Wirtschaft auf diese Frage könnte indes zynischer nicht ausfallen: Wir sollen einfach noch mehr konsumieren, wir sollen uns gesund konsumieren. Wir sollen beispielsweise unsere fünf Jahre jungen Autos verschrotten und stattdessen neue ökologischere Autos kaufen, die mit Biosprit fahren! Irrsinn! Der allgemeingültige Satz: Autofahren schädigt grundsätzlich die Umwelt, wird durch geschickte Werbung verkehrt zu: Mit diesem Auto rettest Du den Planeten. Richtig ist aber: Nur wer weniger oder kein Auto fährt, schädigt die Umwelt durch sein Verhalten *weniger* oder *eben nicht.*

Tipp! Einfach leben!

Wollen Sie die Welt retten? Kein Problem: Gewöhnen Sie sich einen einfachen, vernünftigen und artgemäßen, d.h. menschlichen Lebensstil an. Richten Sie Ihr Konsumverhalten nicht nach Ihren Wünschen, sondern nach Ihren echten Bedürfnissen. Behandeln Sie jedes Ding und jeden Menschen, als wäre es/er das/der letzte seiner Art.

Im Bau- und Renovierungswesen liegen die Dinge ähnlich, oft sogar noch schlimmer. Aber ich will nicht weiter darauf eingehen. Ich spreche aus persönlicher Erfahrung und Einschätzung, wenn ich vielen Sanierungsgrundsätzen kritisch gegenüberstehe. Andere Menschen haben sicherlich eine andere Meinung und auch sie werden gute Argumente ins Feld führen können. Vertrauen Sie indes auf Ihren gesunden Menschenverstand. Bedienen Sie sich einer etwas abgewandelten Form des Okhamschen Rassiermessers: **Die einfachste Lösung für ein Problem ist grundsätzlich die zu bevorzugende.**

Die Sieben Goldenen Regeln des extrem günstigen Renovierens:

Wann immer ich vor einem „Problem“ stand und irgendwie das Gefühl hatte, ich müsste das jetzt mal

„angehen“, prüfte ich mein Vorhaben zunächst mit folgenden Prinzipien, meinen Renovierungsgesetzen:

1. Dein Haus soll warm, trocken und gesund sein.

2. Wenn es nicht kaputt ist, repariere es nicht.

3. Wenn es kaputt ist, versuch es zu reparieren.

4. Wenn es irreparabel beschädigt ist, ersetze es, ohne in die Funktionalität einzugreifen, d.h. ersetze es durch etwas ihm Ähnliches (Modernisieren).

5. Bedenke, die Menschen, die Dein Haus gebaut haben, waren keine Idioten. Sie wussten, was sie tun. Greife nicht in den Organismus „Haus“ ein, wenn Du nicht genau weißt, welche Folgen der Eingriff haben wird.

6. Bevorzuge immer die einfachste und kostengünstigste Lösung.

7. Jede Renovierung sollte mit einer reellen Wertsteigerung verbunden sein. D.h. wenn Du Dein Haus unmittelbar nach der Maßnahme verkaufen würdest, musst Du mindestens die Kosten der Maßnahme wieder herausbekommen!

Beispiele zur Verdeutlichung:

Ich betrete mein neues Haus im Blaumann. Es geht ans Renovieren. Im Wohnzimmer grinst mich ein Nachtspeicherofen an, der in etwa das Alter der geschmackvollen Blümchentapete an den Wänden haben dürfte. Ich verspüre das starke Bedürfnis, irgendetwas mit dem Ding anzustellen...Aber halt. Denk nach, Mensch!

1. Gesetz: Es ist Oktober. Ich will in vier Wochen einziehen. Besser, wir können das Wohnzimmer dann heizen. Der Nachtspeicherofen ist eine Heizung. Soll er also bleiben.

2. Gesetz: Funktionscheck. Der Ofen funktioniert, er heizt. Aber er stinkt und ist laut. Ich recherchiere. Das Modell gehört zu jenen, in denen Asbest verbaut wurde. Ihr Betrieb ist womöglich gesundheitsgefährdend. Das negiert mein Urteil aus Gesetz 1 (das Haus muss warm und gesund sein, nicht warm oder gesund) und führt zu...

3. Gesetz: Kann das Asbest entfernt werden? Eine Reparatur ist praktisch unmöglich, bzw. ihr Aufwand stünde in keinem Verhältnis zum Nutzen. Ein Ersatzofen ist zwar sehr billig zu haben (man kriegt sie geschenkt; alte und auch neuere Nachtspeicheröfen erfreuen sich wahrlich keiner besonders großen Beliebtheit), der Betrieb eines Nachtspeicherofens ist allerdings sehr teuer. Denken Sie an den Vergleich zwischen dem besten und dem schlechtesten Auto – billig ist nicht immer preiswert, teuer nicht immer besser. Ich suche also nach Alternativen.

4. Gesetz: Der Betrieb einer Nachtspeicherheizung ist unverhältnismäßig teuer. Der naheliegendste Ersatz für eine E-Heizung ist eine andere E-Heizung, weil die vorhandene Infrastruktur weitergenutzt werden kann. Meine Nachtspeicheröfen waren beispielsweise mit Zimmerthermostaten zur komfortablen Steuerung ausgestattet. Ich verlängere die Stromleitungen um ein paar Meter pro Raum und montiere Infrarotplatten an die Decke, die nun mittels vorhandenem Thermostat bequem zu steuern sind. Kostenpunkt für das gesamte Haus: Weniger als 2.000€

5. Gesetz: Die Nachtspeicheröfen standen unter den Fenstern nicht raummittig, sondern eher auf der Seite der Hausaußenecke. Die Außenecken sind bei allen Häuser die kältesten Stellen. Deswegen müssen diese Stellen sorgfältig ausgeheizt werden. Ich platziere die IR-Platten entsprechend nicht genau in der Mitte der Decke, wie der Hersteller empfiehlt, sondern eher in der Nähe der Außenecke. Später erfahre ich von einem Nachbarn, der sein wunderschön restauriertes Fachwerkhaus ebenfalls mit IR-Platten beheizt, dass ich es genau richtig gemacht habe.

6. Gesetz: Eine E-Heizung wurde durch eine E-Heizung ersetzt. Kostenpunkt 2.000€. Gut für das Haus, gesunde Wärme, kein Schimmel, keine Feuchtigkeit, erstaunlich ökonomisch im Betrieb. Mission erfüllt.

7. Gesetz: Nachtspeicheröfen beeinflussen den Wert eines Hauses sehr negativ. Tatsächlich bekommen Sie für eine Immobilie, in der die braunen Kästen bereits entfernt wurden, durchschnittlich mehr, als wenn diese noch vorhanden sind, denn die Entsorgung dieser Geräte ist nicht kostenfrei! Für unser Haus, mit einem neuen, sparsamen Heizsystem ausgerüstet, könnte man leicht 10.000€ im Vergleich zum Vorzustand aufschlagen. Abzüglich der Kosten der Maßnahme haben wir also eine fiktive Wertsteigerung von 8.000€ erzielt, vielleicht ist es noch mehr, vielleicht auch etwas weniger.

Tipp! Entsorgung von Nachtspeicheröfen in Raten!

Die Entsorgung der Nachtspeicheröfen war in meinem Fall kostenlos. Warum? 1. Ich demontierte sie, was leicht und schnell ging. 2. Ich „verkaufte“ die Schamottesteine an einen Nachbarn, der sie auch abholte (für einen Kasten

Bier). 3. Ein Schrotthändler nahm die Blechteile und anderen Metallschrott, der sich noch auf dem Grundstück befand, mit. Eigentlich wäre er mir dafür ein paar Euro schuldig geworden, doch ich bat ihn stattdessen, die Dämmung der Nachtspeicheröfen und die nicht verwertbaren Teile fachgerecht zu entsorgen. Da er ohnehin regelmäßiger Gast auf allen Recyclinghöfen der Gegend war, stimmte er zu. Voilà!

Anpassung vs. Veränderung – Am Bestand orientieren!

Man kann alles seinem Willen unterwerfen und nach seinen Vorstellungen gestalten. Dies im Großen wie im Kleinen zu tun, liegt in der menschlichen Natur, ist eine Eigenart, die uns von anderen Lebewesen unterscheidet. Wir roden Wälder, um Ackerland zu gewinnen; wir bauen Städte; wir begradigten Flüsse, ebnen Berge ein. Endlich manipulieren wir auch unseren Körper und unseren Geist, um irgendwelchen Idealen zu genügen oder eben auch nicht.

Auf der anderen Seite sind wir auch phänomenale Anpassungskünstler. Wir schaffen es in jedem Klima und unter fast allen Bedingungen zu überleben. Wir haben Wüsten, Urwälder, Steppen und Gebirge besiedelt. Selbst im Weltraum, der feindlichsten Umgebung überhaupt, können wir überdauern.

Übertragen wir diese Erkenntnis auf unser bescheidenes Renovierungsprojekt:

Man kann ein altes Haus grundsätzlich auf zweierlei Weise herrichten. Man kann (1) versuchen, es in einen Neubau zu verwandeln. Das ist teuer und aufwendig. Die oft massiven Eingriffe in den Bestand können zudem zu unerwünschten Nebeneffekten führen. Kennen Sie die hoch gedämmten und perfekt abgedichteten Häuser, die inwendig vor sich hin schimmeln? Wenn nicht, empfehle ich Ihnen einfach mal durch eine Stadt in Ihrer Nähe zu fahren und sich ein paar nachträglich gedämmte Mehrfamilienhäuser von außen anzuschauen. Manche, oft die jüngeren Datums, sehen gut aus. Andere eher weniger. Zählen Sie die abgesoffenen und veralgten Fassaden und fragen Sie sich einmal ganz ernsthaft und ohne jedes Vorurteil: Ist das wohl so richtig?

Ich habe beim günstigen Renovieren beste Erfahrungen damit gemacht, mich (2) anzupassen. Ich musste eigentlich immer auf diese Weise renovieren, weil ich – Sie ahnen es – sehr knapp bei Kasse war und trotzdem meiner Familie ein Eigenheim bieten wollte. Mir blieb also gar nichts anderes übrig, als mich an das Haus, das ich bezog, anzupassen und das Beste aus dem zu machen, was ich vorfand. Zunächst fragte ich mich, wie die Erbauer darin gelebt hatten. Auch die Menschen der letzten und vorletzten Generation aßen, tranken, gingen ihren Geschäften nach, wollten es kühl im Sommer und warm im Winter haben und ich habe so eine Ahnung, dass sie genauso, wenn nicht noch mehr, auf ihre Ausgaben achteten, also sparsam waren. Was für sie funktioniert hat, sollte für mich gut genug sein. Ich setzte mir den historischen Neubauzustand des Hauses als Renovierungsmaßstab, wo es machbar und sinnvoll war. D.h. nicht, dass ich die Möbel oder Tapetenmuster oder Ansichten jener Zeit teile. Es heißt lediglich, dass ich ihren Kachelofen würdige, dass ich nach Möglichkeit ihre Raumaufteilung respektiere, dass ich ein kaputtes Fenster nicht mit Kunststoff, sondern mit Holz ersetze und für eine gewisse Undichtigkeit sorge – dazu später mehr –, dass ich keine Wände durchbreche und keine Wände einziehe, wo es nicht nötig ist und dergleichen mehr. Stattdessen orientierte ich mich in erster Linie am Bestand und seiner Erhaltung bzw. Reaktivierung. Erst in zweiter Linie schaute ich, ob eine Sache nicht heute besser zu machen ist. Warmes Wasser mit einem Wasserkocher oder kleinem Untertischboiler zuzubereiten ist freilich komfortabler, als einen riesenhaften Topf auf den Holzherd zu stellen, und eine Waschmaschine ziehe ich dem Zuber alle mal vor.

Wenn man bestandsorientiert renoviert, d.h. sich an das Haus anpasst, und nicht primär versucht, es seinen Vorstellungen anzupassen, ist man auf dem besten Weg, ein wohnliches und wertvolles Heim zu einem sehr reellen Preis zu bekommen.

Dämmen oder nicht?

Das „Dämmen“, also die energetische Sanierung, macht bei fast jeder Altbau-Renovierung den größten Kostenfaktor aus. Sie stehen hier von einem grundlegenden Problem, das Sie zunächst *intellektuell* meistern müssen. Wenn Sie meinen, Sie müssten einen Altbau komplett Dämmen und Dichten und ihn so umarbeiten, dass er (auf dem Papier) wie ein Neubau funktioniert, sollten Sie ernsthaft in Erwägung ziehen, lieber gleich neu zu bauen – denn viel günstiger wird Ihr Projekt kaum ausfallen.

Das Thema „Dämmen“ wird heiß diskutiert. Auf der einen Seite steht die Bauwirtschaft, die aus nachvollziehbaren Gründen steif und fest vom Nutzen der teils extrem kostspieligen Maßnahmen überzeugt ist. Auf der anderen Seite stehen kritische, teils auch bis zum Fanatismus überkritische Geister, die dem widersprechen. Beide Parteien liefern mehr oder minder stichhaltige Beweise für ihre Thesen. Am Ende bleibt der Bauherr alleine. Wenn er nicht der einen oder anderen Überzeugung blind glaubend folgen möchte, muss er sich seines eigenen Verstandes bedienen, was schwer ist und Mut erfordert, und vielleicht auf jene hören, die ohne Eigeninteresse von ihren Erfahrungen berichten.

Ich habe in einem ungedämmten Altbau gewohnt, dessen Backsteinwände so kalt wurden, dass das Kondensat an ihnen gefror. Ich habe aber auch eine Wohnung bewohnt, die nachträglich „energetisch saniert“ wurde, was zu teils massiven Baubeschädigungen und einem sehr unangenehmen, fast „stickigen“ Raumklima führte. Das hat mich nachdenklich gemacht und zu einigen Erkenntnissen geführt, die ich mit Ihnen teilen möchte.

Ein Haus bildet zusammen mit seinen Bewohnern einen lebendigen und komplexen Organismus. Es ist nicht einfach ein Ding, das bestimmte Eigenschaften besitzt, sondern es entfaltet seine spezifischen Qualitäten erst durch die spezifische Weise seiner Benutzung. Ob eine Maßnahme sinnvoll ist, hängt also nicht nur von der materiellen Beschaffenheit des Gebäudes , sondern auch von seinen Bewohnern und der Weise seiner Bewohnung ab.

Ein überspitztes Gedankenspiel zur Verdeutlichung: Eine vollwärmegedämmte und luftversiegelte 150qm Wohnung heizt man nur dann sehr effizient mittels Warmluftheizung, wenn man nicht oder nur selten lüftet. Wenn diese Wohnung von einer Person und nur am Wochenende bewohnt wird, diese Person dann weder kocht, noch duscht, also nur wenig zusätzliche Feuchte in den Raum einbringt, funktioniert dieses System zweifellos hervorragend. Wird die Wohnung von einer Familie bewohnt, muss diese entweder entsprechend häufiger Lüften, was die Energieeffizienz, deren Berechnung immer vom Zustand des geschlossenen Fensters ausgeht, negativ beeinträchtigt, oder sie muss Feuchtigkeitsprobleme wie eben Schimmel in Kauf nehmen. Das System funktioniert nicht mehr.

Wäre die Wohnung zusätzlich mit einer passend dimensionierten und anständig gewarteten Entlüftungsanlage versehen gewesen, würde sie für die Familie wieder funktionieren – nicht aber für die Einzelperson: Diese muss nämlich den erzwungenen (und in unserem Beispiel für ihn nicht notwendigen) Luftaustausch sowie den damit einhergehenden Wärmeverlust, der auch dann eintritt, wenn ein wärmerückgewinnendes System verbaut wurde, bezahlen und natürlich hat er auch Mehrkosten für die Wartung der Entlüftungsanlage.

Sie sehen, die Sache ist weit komplizierter, als sie auf den ersten Blick scheint und damit ist es noch nicht genug. Betrachten wir nämlich die Einsparpotentiale – wir müssen hier von Potentialen, also Möglichkeiten sprechen – von Dämmmaßnahmen und rechnen sie gegen die zu erwartenden Ersparnisse, stellen wir fest, dass etliche Maßnahmen schlicht weg unwirtschaftlich sind. Teuer ist nicht immer besser...

Ein weiteres überspitztes Gedankenspiel:

Ein Vollwärmeschutzprogramm für ein 50er Jahre Einfamilienhaus (freistehend, 1,5-stöckig, 4 Zimmer, 130qm Wohnfläche, Keller) bestehend aus Außendämmung, Kellerdeckendämmung, Dachdämmung, 3-fach-verglaste Fenster, Lüftungsanlage und einem neuen Heizsystem (Luft-Wärme-Pumpe) kostet weit über 50.000€ und das ist sehr konservativ gerechnet. Nehmen wir an, das Häuslein war richtig schlecht gebaut und Sie haben sich richtig schön eingeheizt, hatten also jährlich 5000€ Heizkosten; nun, nach den Umbauten, haben Sie unglaubliche 0 Euro Heizkosten! Ihr Haus ist so gut gedämmt, dass die Heizung überflüssig ist und nur zur Zierde im Keller hängt (d.h. keine Reparaturen, Betriebskosten etc.). Selbst das Wasser wird auf wunderbare Weise ganz von alleine warm. Um die Maßnahme voll zu finanzieren, brauchen Sie nun 10 Jahre. 10 Jahre ist die Grenze, die der Gesetzgeber der Wirtschaftlichkeit einer Maßnahme setzt. Jede Investition im Bau, die länger als 10 Jahre braucht, um sich zu amortisieren, ist unwirtschaftlich. Im Falle unserer perfekten und faktisch irrealen energetischen Ertüchtigungsmaßnahme hätten Sie also gerade mal ein Nullsummenspiel. Der Einwand, es ginge ihnen nicht um die Heizkosten, sondern um die ökologische Bilanz, schlägt gleichfalls ins Leere. Die allermeisten Dämmstoffe (Stein- und Glaswolle, sowie Polystyrol) sind recht umweltschädlich in der Herstellung. Entsorgt werden sie als Sonder- oder Problemmüll.

Auf der anderen Seite muss zugestanden werden, dass

gerade im Altbau Kälte und Feuchtigkeit Probleme verursachen, die durch gezielte und vernüftige Dämm- und vor allem Temperierungsmaßnahmen behoben werden können. Wenn Sie einmal neben einer vollmassiven dünnen Steinwand im Winter gelegen haben, wissen Sie, dass nicht nur Wärme, sondern auch Kälte (sehr geringe Wärme) unangenehm ausstrahlen kann. Wenn Sie nun vor die Wand einen dünnen Teppich hängen, werden Sie sofort eine positive Veränderung spüren – dämmen funktioniert!

Dämmen macht Sinn, wenn es planvoll und in vernünftiger Weise geschieht, d.h. wenn Sie in den Organismus „Haus“ nur vorsichtig und achtsam eingreifen. Eine thermische Verbesserung des Wohnraumklimas ist sicherlich zu empfehlen. Schießen Sie aber bitte nicht Kanonen auf Spatzen! Ziehen Sie vorab verschiedene Aspekte in Betracht: Nicht jedes Dämm- und Heizsystem funktioniert für jedes Haus. Man muss genau beachten, was benötigt wird, um anschließend das wie einer Renovierungsmaßnahme genau planen zu können. Wie Sie *vernünftig* und *günstig* heizen und dabei den Bestand nicht nur schonen, sondern geradezu pflegen, besprechen wir im Kapitel „Wohnraumtemperierung und Dämmung“.

An den Plan halten!

Bevor Sie irgendetwas in Angriff nehmen, brauchen Sie natürlich einen Plan. Und bevor Sie einen Plan zusammenstellen können, müssen Sie sich darüber klar werden, was Sie überhaupt machen müssen, wollen und können.

Neben dem Einsatz von Geld und Arbeitskraft spielt der Zeitaufwand oft eine große Rolle. Wenn Sie acht Stunden am Tag, fünf Tage die Woche einem Beruf nachgehen, haben Sie am Feierabend und an den Wochenenden nur noch sehr begrenzte Kraft-und Zeitressourcen. Eine Renovierung kann sich unter diesen Umständen sehr lange hinziehen. Das belastet nicht nur Ihre körperliche und geistige Verfassung, sondern u. U. auch Ihr Familienleben. Unterschätzen Sie auf keinen Fall den Faktor Stress. Laden Sie sich nicht mehr auf den Teller, als Sie essen können. Ich selbst habe es einmal soweit getrieben, dass ich kurz vor einem Krankenhausaufenthalt stand – Diagnose: Völlige Erschöpfung und Schlafmangel. Gehen Sie mit Ihren Kräften ökonomisch um.

Der Faktor Zeit spielt häufig noch eine andere Rolle. Viele Hauskäufer leben in Miete. Sie kommen nun in die sonderbare Situation, dass sie ein Haus besitzen und ggfs. eine Ratenzahlung dafür leisten, während sie gleichzeitig noch den Mietzins entrichten müssen. Dieser Zustand erzeugt neben finanziellem Druck auch Stress. Ihre monatlichen Ausgaben explodieren – Materialkosten, Rate, Miete, Fahrtkosten, evtl. Handwerkerrechnungen plus der übliche Lebensunterhalt. Wenn Sie Ihre Ressourcen nicht planvoll und effektiv nutzen, haben Sie nach ein paar Wochen oder Monaten im schlechtesten Fall eine Menge Geld verbrannt, ohne signifikante Fortschritte gemacht zu haben. Gerade beim Renovieren kommt man leicht vom Hundertstel ins Tausendstel; plötzlich hat man neue (nicht immer gute) Ideen oder steht vor neuen (nicht immer kleinen) Problemen. Man sagt sich: Jetzt, wo ich schon die Wand geöffnet habe, kann ich auch gleich die Wasserleitungen austauschen. Und wenn ich schon mal die Leitungen mache, kann ich auch gleich die Armaturen ersetzen. Und wenn ich schon neue Armaturen kaufen muss, kann ich auch gleich das alte Waschbecken erneuern, und die Fliesen dahinter... Das sind ja alles nur Kleinigkeiten... Das geht noch...

Richtig. Das sind Kleinigkeiten. Aber zeit- und kostenintensive Kleinigkeiten, die Ihren Renovierungs- und/oder Budgetplan schneller umwerfen, als Sie sich vorstellen können.

Darum: Halten Sie sich strikt an den Plan!

Dieser Plan sollte alle auszuführenden Arbeiten, sowie den zu erwartenden Aufwand an Geld- und Zeitmitteln umfassen, die Sie nach einer eingehenden Bedarfsanalyse als *notwendig* und *durchführbar* eingestuft haben.

Bedarf feststellen: Was muss? Was soll? Was kann? – Was geht?

Gehen Sie zunächst mit einem Hammer (einem kleinen!), einem Zollstock und einem Notizblock (nebst Stift) bewaffnet durch das Haus und stellen Sie den tatsächlichen Renovierungsbedarf fest. Nehmen Sie sich dafür viel Zeit. Prüfen Sie alles genau und überlegen dann in Ruhe, was wirklich *nötig* ist und was Ihre Ressource *reell* erlauben.

Orientieren Sie sich dabei an folgenden Prioritäten und Phasen:

1. Signifikante Bauwerksbeschädigungen oder –mängel, die das **gesunde** und **sichere** Bewohnen des Gebäudes **unmöglich** machen oder stark beeinträchtigen, **müssen** behoben werden.

Beispiele: Schimmelbefall, undichtes Dach, entglaste Fenster, geborstene Leitungen, nicht funktionierende Heizung, fehlende Kochgelegenheit, fehlende Waschgelegenheit etc.

Ziel: Ein Haus, das sie ohne Weiteres bewohnen können – wenn auch ohne besonderen Komfort.

2. Mängel und Schäden, die ein Bewohnen zwar grundsätzlich nicht unmöglich machen, aber einen **geregelten Tagesablauf stark beeinträchtigen, sollten schnellstmöglich (vor dem Einzug) behoben werden.**

Beispiele: Ein geborstene Scheibe kann zur Not auch mit einem Brett verschlossen werden – nun setzen wir eine Scheibe ein. Man kann auf einem Gaskocher kochen – nun installieren wir eine funktionierende Küche. Man kann Badewasser auf dem Herd erwärmen – nun installieren wir einen Boiler. Man kann sich im Winter um einen Heizlüfter scharen – nun installieren wir ein funktionierendes Heizsystem.

Ziel: Das Haus kann nun einigermaßen komfortabel bewohnt werden, wenn auch der Standard ein einfacher sein wird. Ihr Alltag wird nicht mehr (stark) beeinträchtigt. Wirklich bequem und wohnlich ist das Haus aber vermutlich immer noch nicht.

Sie werden feststellen, dass Punkt 1 und 2 essentieller Natur sind. Wenn Sie Ihre Bedürfnisse dementsprechend herunterschrauben und anpassen, ist Ihre Renovierung jetzt praktisch schon vorbei. Merken Sie etwas? Die meisten „Bruchbuden“, die niemand mehr haben möchte, und die man für relativ kleines Geld kaufen kann, lassen sich normalerweise sehr günstig bewohnbar und auch ein Stück weit wohnlich machen – Wunder darf man mit kleinstem Budget freilich nicht erwarten.

3. Nun beginnt die eigentliche Renovierung. Wir machen unser Haus **wohnlich, heimelich, liebenswert, effizient, komfortabel.**
Beispiele: Wand- und Bodenbeläge. Decken. Lichtinstallation. Rollläden. Zimmertüren. Erweiterung der Elektrik. Erneuerung von Fliesen. Sinnvolle Dämmmaßnahmen etc.

Die Bedarfsanalyse ist jetzt abgeschlossen. Wir wissen, was wir tun **müssen und sollen.** Wir wissen zudem, was wir tun **wollen**. Nun gilt es, das Ganze mit den persönlichen Zeit- und Geldressourcen abzugleichen, um festzustellen, was wir faktisch tun **können**. Wir lenken unsere Ressourcen zunächst auf die Dinge, die wir tun müssen – Punkt 1 und 2. Die übrigen Ressourcen können wir dann auf die Maßnahmen verteilen, die wir tun wollen, d.i. Punkt 3.
Nun wird der konkrete Plan entwickelt.

Tipp! Gut geplant ist halb saniert!

Unterschätzen Sie nicht eine vernünftige und reelle Planung: Sie spart viel Arbeit und Geld. Je mehr Vorlauf Sie haben, desto besser ist das. Nutzen Sie die Zeit, um verschiedene Renovierungsoptionen durchzuspielen, günstiges Material zu ordern, sich entsprechend zu bilden und, so denn externe Arbeit eingekauft werden muss, verschiedene Angebote einzuholen.

Renovierungsplan

Ich habe mir irgendwann einmal die Mühe gemacht, ein Blatt vorzubereiten, das mir persönlich immer gute Dienste geleistet hat. Passen Sie den Plan bitte Ihren individuellen Möglichkeiten und Erfordernissen an. Mein Schema habe ich exemplarisch mit einigen Maßnahmen meines letzten Projekts ausgefüllt.

		Verfügbare Zeit bis Einzug	Max. Budget			
		84 Tage	8000			
Maß-nahme	Priorität	Zeitaufwand	Kosten	Wird extern vergeben	Beginn	Abschluss
Schimmel beseitigen	1	1	800	Fa. XXX	1.6	1.6
Rohr-bruch beheben	1	1	350	Fa. XXX	3.6	3.6
Heizung (IR-Platten) installie-ren	2	2	2000	– (wird geliefert am 1.6.)	2.6; 4.6 (Im OG anfangen wg. Rohrbruch EG)	5.6
Laminat verlegen	3	4	900	–	6.6 (Im EG anfang	10.6

					en, wg. Ofen-monta ge OG)	
...	...	...	...	...	...	...
Umzug	–	2	150	–	20.6	22.06

Übergabetermin meiner Wohnung war der 30. Juni – ich habe also bewusst 8 Tage Luft gelassen.

Sie sehen an meinem Plan, in welch einer privilegierten Situation ich mich befand. Wenn Sie mein Buch „Aussteigen-light“ gelesen haben, wissen Sie, warum ich viel Zeit habe und darum viel selber machen kann (oder muss, ganz wie man die Medaille wendet). An Fremdfirmen vergebe ich nur, was entweder 100% sein muss oder ich einfach nicht alleine schaffe.

Durch meine Eigenleistung habe ich den Wochen meiner letzten Renovierung leicht einen fünfstelligen Betrag eingespart. Besser kann man also kaum verdienen.

In der Lebenspraxis der meisten Menschen ist eine Renovierung in Eigenleistung und Vollzeit nicht möglich. Sie müssen also entweder auf teure Fremdarbeit zurückgreifen oder einen bedeutend längeren Renovierungszeitraum einplanen, was u.U. aber auch zu einer Mehrbelastung führen kann, wenn Sie durch Miete und Rate einer Doppelbelastung ausgesetzt sind.

Tipp! Sanierungssöldner!

Ein Bekannter von mir, ein angestellter Handwerker, hat seine Renovierung folgendermaßen durchgezogen: Er hat seinen Jahresurlaub (vier Wochen) genommen und einen Kollegen überredet, das Gleiche zu tun. Mit diesem hat er sich dann auf ein Honorar geeinigt. Von seinem Chef hat er für die Zeit einen Transporter – der sonst nutzlos herumgestanden wäre – und einige Werkzeuge angemietet. Zusammen gelang es Ihnen, in dreieinhalb Wochen eine Low-tech-Renovierung (Punkt 1 und 2) komplett zu stemmen – dazu muss gesagt werden, dass die beiden in Schlafsäcken im Haus kampiert haben und wenig erholt aus dem Urlaub zurückkamen.

Neben den Handwerksbetrieben vor Ort, können Sie Aufträge auch über Myhammer.de bundesweit ausschreiben. Noch besser ist es aber, eine Anzeige in der Zeitung oder Ebay-Kleinanzeigen zu schalten. Man lernt hier oft „professionelle Amateure und Tausendsasa“ kennen, deren Arbeit und Preise durchaus vernünftig sind.

Wichtig beim Renovierungsplan ist, dass Sie das Haus so schnell wie möglich *bewohnbar* machen. Nicht schön, nicht repräsentativ, sondern *bewohnbar*! Selbst wenn dann noch nicht alles fertig ist, können Sie immerhin schon einziehen und dann sukzessive die Arbeiten vollenden.

Selbermachen!

Das teuerste beim Renovieren ist zweifellos Fremdarbeit. In meiner Gegend kostet eine Handwerkstunde zwischen 40- 50€. In meiner Gegend neigen Handwerker weiterhin dazu, sehr bedächtig vorzugehen. Sie bewegen sich langsam und gar nicht selten, eigentlich sogar mit erschreckender Regelmäßigkeit haben sie Werkzeuge oder Material vergessen.

„Ich fahr mal schnell ins Lager, um das zu holen“ – die Person bleibt eine, zwei, drei Stunden verschwunden. Ich betone: Die Person bleibt verschwunden, die Stunden finden sich auf dem Rechnungszettel wunderbarerweise wieder.

Ich bin kein Freund von Handwerkern, mit denen ich nicht eng befreundet bin. Leider kenne ich gar nicht so viele Handwerker oder überhaupt handwerkliche geschickte Menschen. Dafür gehe ich mit einem Haufen Theologen, Germanisten und Informatiker um. Das ist praktisch, wenn man sich über Gott oder Literatur unterhalten möchte oder ein Software-Problem hat. Für das Renovieren nützen dergleichen Bekanntschaften allerdings eher wenig.

Weil ich mir keine Fremdarbeit im großen Stil leisten konnte, war ich irgendwann gezwungen, selbst tätig zu werden – mit erstaunlichem Erfolg. Ich sagte bereits, ich bin Philosoph, habe zwei linke Hände und hatte bei meinem ersten Projekt keinerlei Vorerfahrung. Trotzdem konnte ich 80-90% aller anfallenden Arbeiten selbst ausführen. Bin ich ein Wunderkind? Sicher nicht. Warum auch der Normalsterbliche einiges vollbringen kann, hat meines Erachtens mit zwei Dingen zu tun:

1. Materialien sind immer standardisierter und immer leichter zu verarbeiten.
2. Die meisten Renovierungsarbeiten werden im

Baumarkt mittlerweile als Do-it-yourself-Pakete angeboten.

Zum Beweis – Beispiele:

zu 1. Ein älterer Installateur erzählte mir, dass er während seiner Ausbildung noch lernen musste, Gewinde für Wasserleitungen zu fräßen. Heute braucht man oft nicht einmal mehr Dichtungshanf. Es werden Leitungssysteme angeboten, die man einfach zusammenstecken kann.

Mein Schwiegervater ist Architekt und gelernter Maurer. Einmal bat ich ihn, mir zu erklären, wie man eine Fehlstelle im Putz beseitigt – ich hatte nicht die geringste Ahnung. Er begann sofort von Mischverhältnissen zwischen Zement, Sand, Wasser und Kalk zu sprechen... Tatsächlich war es vor gar nicht so langer Zeit noch üblich, sich seinen Mörtel selbst anzumischen! Für mich unvorstellbar. Heute liegen doch alle möglichen Fertigmischungen säckeweise (auch in kleinen Mengen) im Baumarkt oder im Baustoffhandel bereit. Man muss sie nur noch mit Wasser anrühren und fertig. Teilweise sind sogar schon gebrauchsfertige Produkte (Spachtel etc.) zu kaufen – diese sind allerdings bedeutend teurer.

Zu 2. Die Palette für DIYS-Projekte wird permanent breiter. Während man als Normalsterblicher (zumindest ich) früher im Baumarkt nur Farbe fürs Streichen und ein paar Pinsel holte, findet man heute Komplettsysteme für Gartenhäuser, Carports, Zwischenwände, Außendämmung, Fenster- und Türeneinbau, Küchenbau, Wasserteilungen, Drainagen, Elektrik, Ziegel, Edelstahlschornsteine, Dachfenster etc. nebst (manchmal besserer, manchmal schlechterer) Beratung. Theoretisch könnte man fast im Alleingang und fast komplett aus dem Baumarkt ein Einfamilienhaus errichten. Oh, wunderbare Welt in sanftes Neonlicht getaucht...

DIYS – Wenn es „ok“ werden muss.

Die beste Note ist die „Vier“ – Ausreichend! Warum? Sie drückt die perfekte Balance zwischen Einsatz und Resultat aus: Man hat soviel gelernt, dass es am Ende gerade so gereicht hat – nicht zu viel, nicht zu wenig. Ein bisschen ist es so auch beim Renovieren in Eigenleistung. Wenn Sie nicht über einige Vorerfahrung oder ein natürliches Talent zum handwerklichen Arbeiten verfügen, werden Sie kein perfektes Ergebnis zustande bringen. Mir ist das auch nicht gelungen und am Anfang hat mich das furchtbar frustriert. Ich habe meine Leistung mit der des Profis verglichen – Note Vier gegen Note Eins. Meist hat man es an der Optik gemerkt – wenn man allzu genau und vielleicht auch etwas missgünstig hingeschaut hat: eine schiefe Fliese, ein zu kurzes Stück Laminat etc. Dann aber verglich ich den Einsatz an monetären Mittel, die je nötig waren, ein bestimmtes Ergebnis zu erreichen: Auf der einen Seite standen mehrere tausend Euro, auf der anderen wenige hundert für das Material. Meine eigene Arbeitskraft ist ja kostenfrei. Nun, plötzlich sah ich meine Arbeit mit gütigeren Augen an. Sie war zu dem Preis...ok.

Ein Beispiel, das Mut macht: Ein Elektriker bot mir an die Leitungen für meine Infrarotplatten (Deckenmontage) unter den Gipsplatten sozusagen unsichtbar zu verlegen. Kostenpunkt 2.800€. Die Alternative war, die Leitungen selbst auf dem Putz zu verlegen (der Elektriker hat den Anschluss natürlich entsprechend vorbereitet – Vorsicht bei der Arbeit mit Strom!), und sie mittels Kabelkanal zu kaschieren. Kostenpunkt knapp 100€ (65€ Elektriker, 35€ Material). Ersparnis 2.700€! Nun die Frage: Ist der Anblick einiger weißer Kabelkanäle 2.700€ wert? Nun, mir schon.

Haben Sie nur Mut, es selbst zu machen, aber bleiben Sie bitte realistisch. Realistisch ist, dass Sie langsamer und weniger materialeffizient als ein motivierter Handwerker sein werden. Realistisch ist, dass Ihre Arbeiten weniger professionell aussehen, doch die gleiche Haltbarkeit und Funktionalität aufweisen werden. Realistisch ist, dass Sie die überwiegende Zahl der zu erbringenden Renovierungsleistungen zufriedenstellend oder zumindest ausreichend für einen Bruchteil der Kosten, die ein Handwerker veranschlagen würde, ausführen können. Aus persönlicher Erfahrungen komme ich auf folgende Faustregel: Ich kann 70-90% der Arbeiten für 5-30% des Preises selbst ausführen.

Veranschlagte Renovierungskosten von 50.000 sind mit maximaler Eigenleistung also auf schlechtestenfalls 18.500€ zu senken.

Wenn man dazu nimmt, dass in den 50.000€ etliche Arbeiten enthalten sind, die wir nach unseren Notwendigkeitskriterien ausschließen oder aufschieben würden (wenn es nicht kaputt ist, repariere es nicht! Wenn es kaputt ist, repariere es, und tausche es nicht gleich aus...), senken sich die faktisch anfallenden Kosten noch mal um wenigstens 50%. Anders gewendet: Sie können mit 10.000€ erstaunlich viel erreichen, wenn Sie sich auf das Wesentlichen und Notwendige beschränken und entsprechende Eigenleistungen erbringen (gerne auch mit einem freundlichen Helfer, dem Sie ein Trinkgeld zustecken), d.h. wenn zufriedenstellende und ausreichende Leistung Sie ausreichend zufriedenstellt.

Tipp! Weniger ist mehr, einfacher ist besser!

Arbeiten Sie im Zweifel low-tech-low-cost, d.h. streben Sie mit minimalem Aufwand möglichst einfache Lösungen an.

Budget!

Wie viel Geld Sie brauchen, hängt sowohl von Ihrem Projekt, als auch von Ihren individuellen Vorstellungen und natürlich Möglichkeiten ab. Da Sie dieses Buch gekauft haben, gehe ich davon aus, dass Sie wenig bis gar kein Budget haben – und das ist ok, damit kann man arbeiten.

In der stoischen Philosophie (aber auch in anderen Glückslehren) gibt es einen interessanten Gedanken, wie ein Mensch glücklich werden kann. Glück besteht in der Befriedigung von Bedürfnissen. Dazu gibt es zwei Wege. Entweder der Anthropos beschafft sich die Mittel, seine Bedürfnisse zu erfüllen. Dabei wird er bald feststellen, dass die Mittel begrenzt, ihre Beschaffung unangenehm, seine Wünsche aber theoretisch grenzenlos sind. Immer kann und wird er ein wenig mehr verlangen. Die Folge ist: Er kann nie vollkommen glücklich werden, ihm geht es wie der Frau des Fischers. Der Weise dreht nun dieses Prinzip um. Er bescheidet sich, d.h. reduziert seine Bedürfnisse und Wünsche auf die ihm zur Verfügung stehenden Mittel und darunter. Die Folge: Er ist zufrieden mit dem, was er hat und erreichen kann. Er ist glücklich.

Nutzen Sie den gleichen Gedanken für Ihre Budgetplanung: Schauen Sie, was nötig ist, was gemacht werden muss: (1) Signifikante Schäden, die das Bewohnen unmöglich machen und (2) Schäden, die das Bewohnen stark beeinträchtigen. Hier gibt es keine Kompromisse. Kaufen Sie kein Haus, bei dem Sie diese Schadensarten nicht beseitigen können. Ihr Budget muss das hergeben. Darüber hinaus, können und sollen Sie sich bescheiden. Geben Sie nur aus, was Sie schmerzfrei erübrigen können, was Sie praktisch auf der hohen Kante haben. Gehen Sie dabei planvoll vor: erst wird das Wichtige erledigt, was den Wohnkomfort steigert, z.B. neue Boden- und/oder Wandbeläge. Am Ende kommt das

Schöne, aber Überflüssige, wie. z.B. die mit Basalt gepflasterte Terrasse oder der neue Fassadenanstrich in Babyblau.

Schauen wir uns nun die einzelnen Arbeitsbereiche und Möglichkeiten ihrer günstigen und effizienten Bewältigung an.

Von Innen nach Außen, von Oben nach Unten

Wir haben die *Sanierungs- und Baumaßnahmen* aus Phase 1 und 2 abgeschlossen, bzw. ihre Durchführung beeinträchtigt nicht mehr den Beginn unserer Renovierungsarbeiten. Zu diesem Zeitpunkt ist unser Haus nicht mehr baufällig und auch im Winter bewohnbar. Wir verfügen über fließendes Wasser, ein funktionierendes Abwassersystem, eine funktionierende Badewanne, eine funktionierende Toilette und Strom – wir genießen jetzt bereits einen höheren Wohnkomfort, als die meisten Menschen auf diesem Planten und das für erstaunlich wenig Geld. Herzlichen Glückwunsch!

Nun beginnt unsere eigentliche *Arbeit*. Ein neues Carport, eine ausgebesserte Treppenstufe, ein neuer Anstrich der Fassade (z. B. in Taubengrau), eine neue Eingangstüre etc. sind zwar nett, sogar wünschenswert, aber eben nicht essentiell. Sie steigern nicht den Wohnkomfort oder tun dies nur unwesentlich. Sie steigern jedoch den Wert des Hauses, darum sollten sie, wenn Zeit und Mittel es erlauben, auch angegangen werden. Die meiste Zeit halten wir uns *im* Haus auf, darum liegen auch hier, im Innenraum, unsere Prioritäten.

Bei der Empfehlung von „von Oben nach Unten" gehe ich davon aus, dass im oberen Stockwerk die Schlafräume, im unteren die Gemeinschafts- und Arbeitsräume, sowie das Hauptbad und die Küche liegen.

(1) Die <u>Privaträume der Hausbewohner</u> haben Vorrang, weil es sich hier um private Rückzugs- und Ruhezonen handelt. Wenn das Chaos und der Lärm einer Renovierung bis in diese intimsten Bereiche vordringt, ist das Gift für die Stimmung in der Familie; wir erzeugen Stress, der – ich sagte es bereits – einen Faktor darstellt, der unbedingt vermieden werde sollte. Glauben Sie mir, Sie haben mit den anstehenden Arbeiten schon genug zu tun, als dass Sie sich noch Unfrieden in der Familie leisten könnten. Ein

weiterer Vorteil dieses Vorgehens ist, dass die Schlafräume grundsätzlich recht zügig und günstig zu richten sind. Wenn wir nicht gerade die Elektrik erneuern, haben wir es nur mit Wand- und Deckengestaltung sowie mit dem Bodenbelag zu tun, alles Bereiche, in denen auch der Laie in kurzer Zeit sehr viel ausrichten kann. Der schnelle und sichtbare Erfolg schafft zudem eine positive Grundstimmung. Was war ich glücklich, als ich meinen ersten Laminat einigermaßen erfolgreich verlegt hatte, was war meine Frau stolz auf mich, was schien die Sonne hell und warm an diesem Tag!

(2) Nach den Schlafräumen nehmen wir uns die Küche vor. Danach sind die (3) Wohnräume wie Wohnzimmer, Salon, Fumare, Bibliothek, Medienzimmer etc. dran; danach die (4) Verkehrsräume, wie Flure und Entreé. Das (5) Bad nebst Toilette, sofern sie funktionieren, schieben wir auf den Schluss. Das hat zwei Gründe: Zum einen ist die Badvollrenovierung sehr aufwendig. Zum anderen ist das Bad der am wenigsten genutzte Raum im Haus, d.h. die Bewohner verbringen dort im Vergleich zu den übrigen Zimmern die kürzeste Zeit am Tag.

Hierarchie der Arbeiten

Die meisten Arbeiten legen die Reihenfolge ihrer Erledigung quasi von selbst fest. Kabel und Leitungen beispielsweise werden, sofern Schlitze geschlagen werden müssen, vor der Wandgestaltung verlegt. Die Decke und die Wände werden natürlich fertiggestellt, bevor der neue Fußboden eingebaut wird. Die Wände in der Küche werden gestrichen, bevor man die Küchenschränke hängt etc.

Bei Arbeiten, die einem die freie Wahl lassen, sollte man gerade als Laie mit dem einfachsten und am schnellsten zu Erledigendem beginnen. Klug ist es, sich im Vorfeld mit der Dauer von eventuellen Vorarbeiten vertraut zu machen. Hier habe ich etliche Stunden nutzlos vergeudet. Grundierungen oder Beschichtungen beispielsweise brauchen oft mehrere Stunden Einwirkzeit, die man nicht gerade mit Warten verbringen sollte. Als ich an Erfahrung reicher war, habe ich meine Arbeitskraft immer auf zwei Räume, bzw. Bereiche des Hauses verteilt und die einzelnen Maßnahmen zeitversetzt durchgeführt, sodass ich permanent etwas zu tun hatte und vorwärts gekommen bin. Ein Fehler ist es, seine Kräfte wild zu zersplittern, also beispielsweise in einem Raum die Wand zu grundieren, im nächsten die Latten für die Deckenabhängung zuzuschneiden, im dritten mit Abrissarbeiten zu beginnen und gleichzeitig den Parkett im Wohnzimmer einzulassen. So entsteht ein weitgestreutes Chaos. Der Schmutz der vielen kleinen oder großen „Baustellen" verfolgt einen auf Schritt und Tritt. Man verlegt Werkzeug und verliert irgendwann den Überblick. Auch gibt es wenig unerfreulicheres als den Anblick eines frisch verlegten Laminats, in dem schon die ersten Kratzer sichtbar werden, weil man den Putz im Flur davor abzuschlagen begonnen hat. Beschränken Sie Ihre Tätigkeiten also bewusst auf zwei Räume. Sind diese fertig, schließen Sie sie ab und „wandern" weiter.

Wände und Decken

Wände und Decken sind immens wichtig beim Renovieren. Sie bilden die größte sichtbare Fläche der Innenräume und tragen wesentlich zu einem guten und gesunden Raumklima bei. Wer hier etwas falsch macht, wird bestraft; wer hier aber klug vorgeht und sich Mühe gibt, kann mit geringen Kosten ein Wohlfühlklima und ansprechende Wohnlichkeit schaffen.

Es gibt grundsätzlich zwei Möglichkeiten, rohe Wände zu gestalten:

1. Mittels einer Schalung, meist Gipskarton
2. Mittels eines Putzes

Zu 1.: Gerade im Altbau, wo man es nicht immer mit vollkommen ebenen Wänden zu tun hat, empfiehlt sich eine mit Haftgips angebrachte Gipskartonwand zu erstellen. Selbst der Anfänger kann das ohne Weiteres bewerkstelligen. Jeder Baumarkt bietet entsprechende Systeme an, die idiotensicher sind – ich bin der lebende Beweis! Neben den käuflich zu erwerbenden Produkten liegen oft Broschüren aus, die Schritt für Schritt die Arbeitsabsläufe erklären. Im Internet finden sich weitere schriftliche, bebilderte und sogar etliche hervorragende DIYS-Video-Anleitungen für praktische jede Renovierungssituation.

An Außenwänden können Verbundplatten eingesetzt werden: diese haben auf der Rückseite eine mehrere Zentimeter dicke Polystyrolschicht, die dann zusätzlich zur ohnehin bestehenden Luftschicht hinter der Wand als moderate Innendämmung fungiert. Sind die Wände gerade, können Sie auch eine Lattung anbringen und die Platten einfach aufschrauben. Trägersysteme aus Metallblech eignen sich für Zwischenwände. Anschließend verfugen Sie die Spalten und fertig.

Die Wandgestaltung mit Gipskarton gelingt leicht, ist schnell und verhältnismäßig sauber. Auch der Laie kann hier gute Erfolge erzielen. Allerdings ist das Arbeiten mit den hübschen, grauweißen Platten deutlich teurer als einfaches Verputzen. Dazu kommt, dass die Gipskartonwand überlicherweise noch verputzt oder tapeziert werden muss. Man kann sie auch einfach nur streichen, dann muss der Untergrund jedoch sehr akkurat geglättet worden sein, sonst sieht man die Spalten zwischen den Elementen – ein unschöner Anblick.

Neben der bekannten Gipsplatte gibt es auch Mineraldämmplatten. Diese werden vor allem bei der Sanierung von feuchtigkeits- und kältebetroffenen Altbauten empfohlen. Diese Systeme sind extrem teuer. Wir sprechen hier von 30€ pro qm und mehr! Ihr Wirksamkeit scheint zudem nicht ganz unumstritten zu sein. Da ich selber keine Erfahrungen in diesem Bereich habe, enthalte mich eines wertenden Urteils. Fakt ist aber, dass die meist recht üppig dimensionierten Elemente einen gehörigen Anteil an der Wohnfläche okkupieren, was vor allem in kleinen Räumen problematisch werden kann.

Für die Deckenverkleidung muss eine Lattung angebracht werden. Sie können hier auf Holzlatten oder teurere Metallträgersysteme zurückgreifen. Ich empfehle die billigere Variante. Anstatt Gipsplatten können auch kostspieligere Paneelsysteme installiert werden – diese haben den Vorteil, dass Sie nicht weiter bearbeitet werden müssen.

2. Putze aufzubringen erfordert ein klein wenig mehr Geschick und es ist oft und gerade bei Anfängern mit viel Schmutz und einigen Fehlschlägen verbunden, bis man den Dreh raus hat – dann geht es aber wie von selbst.

Putze können Unebenheiten im Mauerwerk nur sehr bedingt ausgleichen. Eine Innendämmung, etwa aus

Schilfmatten, miteinzubringen, ist heikel und ich rate dem Do-it-yourself-Laien davon ab, dies ohne ausreichende Vorübung zu versuchen. Missglückte Putze zu entfernen, ist mit viel Arbeit und Dreck verbunden – also Vorsicht!

Auf der anderen Seite müssen Sie eine verputzte Wand nur noch streichen. Putze sind vergleichsweise billig. Selbst bei hochwertigen und ökologischen Produkten, die Sie sich auf jeden Fall leisten sollten, halten sich die Kosten in Grenzen. Putze erlauben eine Vielfalt wunderbarer Gestaltungsmöglichkeiten. Doch auch hier gilt Vorsicht walten zu lassen! Einmal getrocknet, lässt sich das Ergebnis Ihrer Mühen nicht mehr ohne Weiteres korrigieren! Probieren Sie an unauffälliger Stelle Technik und Musterung aus.

Gerade bei alten Häusern ist Feuchtigkeit und damit verbunden Schimmel oft ein Dauerthema. Die Wahl des geeigneten Putzes ist daher essentiell. Ich empfehle grundsätzlich das Verwenden von echten Kalkprodukten (keine Kalk-Zement-Mörtel). Ihre stark alkalische Konsistenz verhindert Schimmelbildung. Außerdem wirkt Kalkputz feuchtigkeitsregulierend. Er ist recht leicht zu verarbeiten und ggfs. auch partiell auszubessern. Tapezieren Sie einen Kalkputz niemals. Streichen Sie ihn mit Kalkfarbe.

Tipp! Hanf!

Kalk- wie Lehmputze neigen beim Trocknen zur Rissbildung, was u. U. Nacharbeiten nötig macht. Sie könne die Rissbildung minimieren, indem Sie eine kleine Menge Hanffasern mit einrühren. Diese wirken ähnlich wie ein Armierungsgewebe.

Lehmputze gelten auch als feuchteregulierend und wohngesund. Allerdings neigen Sie zum Schwinden und

Reißen, was u.U. Nacharbeiten nötig macht.

Putze auf Gipsbasis sind billig, leicht zu verarbeiten, aber weder besonders wohngesund, noch geeignet mit Kälte und Feuchtigkeit umzugehen.

Im Zweifel wählen Sie immer einen Kalkputz. Ein rohes Mauerwerk müssen Sie vorab grundieren. Danach sind üblicherweise zwei Lagen aufzubringen: Unterputz und Oberputz. Achten Sie darauf, Fugen im Mauerwerk ordentlich zuzuschmeißen. Größere Fehlstellen sind vorher aufzufüllen. Streichen Sie eine kalkgeputzte Wand unbedingt immer mit einer entsprechenden Kalkfarbe. Diese wird eine chemische Verbindung mit dem Untergrund eingehen und ist nachträglich praktisch nicht mehr zu entfernen.

Man kann verschiedene Kalkputze selbst anmischen. Im ökologischen Baustoffhandeln erhält man neben einer guten Beratung auch entsprechende Produkte und manchen guten Tipp zur Verarbeitung. Es gibt auch fertig gemischte Systeme. Diese sind zwar vergleichsweise teuer, aber auf jeden Fall für den Laien besser geeignet. An Innenputz und Farbe bitte nicht sparen. Informieren Sie sich im Internet über die einzelnen Produkte und Hersteller – hier sind Altbauforen wie fachwerk.de oft sehr aufschlussreich.

Beachten Sie bitte die Verarbeitungs – und Sicherheitshinweise genau; Kalkprodukte sind stark alkalisch und können zu Verätzungen der Haut führen.

Low-tech-low-cost Optionen für die Wandgestaltung

Sie kennen nun die beiden beliebtesten Möglichkeiten, wie man ein rohes Mauerwerk ansehnlich und wohngesund gestalten kann. Bei meinen Ratschlägen setzte ich voraus, dass Sie vor einem nackten Mauerwerk stehen. Normalerweise ist dies natürlich nicht der Fall. Irgendeine Art von Wandverkleidung werden Sie vorfinden. Und wenn das Ganze nur genug schlimm und wüst aussieht, werden Sie unweigerlich das starke Bedürfnis empfinden, das ganze Zeug loszuwerden und ganz von vorne zu beginnen. Nun, wenn Sie dazu Zeit und Lust haben (gerade das Verputzen kostet nicht viel und macht ziemlich Spaß), ist das eine feine Sache. Ansonsten erhalten Sie, was immer möglich ist.

Bei meinem dritten Renovierungsprojekt ist mir die Puste ausgegangen. Ich hatte soviel an substantiellen Schäden der Kategorie 1 und 2 zu knabbern, dass ich keine Motivation mehr fand, auch noch den alten Putz abzuschlagen und zu erneuern. Meine Perspektive hatte sich verändert: Ich wollte nun nicht mehr alles neu machen, sondern ich prüfte die Immobilie vielmehr auf alles, was ich erhalten und ggfs. einfach nur instandsetzen musste.

Hier mein Erfahrungen: Die meisten (nicht alle) Tapeten kann man überstreichen, wenn sie noch ausreichend tragfähig sind und die Strukturierung akzeptabel ist. Wählen Sie gute Farbe mit hohem Pigmentanteil, dann werden auch farbige Tapeten nach zweimaligen Anstrich wieder weiß.

Wenn die Tapete nicht mehr tragfähig sein sollte oder Sie Tapeten im Altbau grundsätzlich eher argwöhnisch gegenüberstehen, entfernen Sie diese vorsichtig. Oft werden Teile des Unterputzes sich mit lösen. Klopfen Sie die Ränder größerer Fehlstellen weiter ab, bis Sie die „festen", d.h. tragfähigen Zonen erreicht haben. Nun füllen Sie die Fehlstellen mit dem passenden Putz auf. Um zusätzliche Festigkeit zu erreichen, bringen Sie ein Armierungsgewebe mit ein – vor allem in den Eckbereichen macht das Sinn. Kleinere Fehlstellen können einfach gespachtelt werden. Je nach Untergrund können Sie nun einen mineralischen Feinputz auftragen oder die Wand einfach grundieren und mit Mineralfarbe (Silikatfarbe) streichen. Kleinere Unebenheiten wirken gerade im Altbau oft charmant oder sind lässlich oder es ist Ihnen einfach egal, weil Sie sowieso einen Schrank davor stellen werden... Wenn das darunterliegende Mauerwerk Ihnen optisch zusagt und nicht gerade an der Außenwand liegt, können Sie diese Stellen auch einfach offen lassen und lediglich die Ränder etwas abrunden. Freunde von mir haben das gemacht; es ist Geschmackssache.

Ist der Putz nicht mehr zu retten und muss entfernt werden, können Sie auch einfach das Mauerwerk weißen oder es so lassen wie es ist. Ein Sandstrahler hilft beim anständigen Reinigen des Untergrunds. Diese Art des no-tech-no-cost-Renovierens setzt allerdings voraus, dass die betroffenen Wände später anständig temperiert werden und das Mauerwerk über eine ausreichende Stärke verfügt. Geschwundene Verfugungen und Fehlstellen gleichen Sie bitte aus. Vor allem Backsteinsteinwände sind ausnehmend schön und wunderbar zu gestalten. Auch Natursteinmauern bieten sich hierfür ein. Haben Sie hier Mut und spielen Sie ruhig mit Ihren Ideen herum. Wohn- und Renovierungsbücher waren und sind mir immer eine erquickliche Quelle der Inspiration gewesen.

Fliesen

Fliesen sind sehr haltbar und leicht zu reinigen, aber kalt, da glatte Oberflächen keine dämmenden Eigenschaften besitzen. Reparaturen von gebrochenen Fliesen sind aufwendig, ihr Abbau und Austausch ebenso. Sind die Fliesen auf Gipsplatten angebracht, ist eine Entfernung ohne eine Zerstörung des tragenden Untergrundes praktisch unmöglich.

Dieser Boden-Wandbelag bietet eine Vielzahl von Gestaltungsmöglichkeiten. Mittlerweile gibt es auch Ausführungen in Holz- oder Echtsteinoptik. Geschmackssache.

Preislich deckt die Fliese ein weites Spektrum ab. Billige Bodenfliesen/Steinfeinzeug gibt es für deutlich unter 10€/qm beim Baumarkt Ihres Vertrauens. Nach oben hin sind Qualität und Preis keine Grenzen gesetzt. Ich habe schon handgeformte Terracottafliesen aus Italien für über 150€/qm gesehen. Auch dies: Geschmackssache.

Der zu fliesende Boden muss vollständig eben sein; Unebenheiten sind vorab möglichst akkurat auszugleichen. Entsprechendes Material finden Sie im Baustoffhandel oder im Baumarkt.

Aufgrund des hohen Aufwands, den ein Austausch von Fliesen verursacht, ist die Wahl des Motivs gerade an den Wänden sehr wichtig. Die grün-blau-rot-braunen Bäder der sechziger und siebziger Jahren sind noch heute der Fluch vieler Häuser. Gleiches gilt für die riesigen rot- oder braungefliesten Bodenflächen der späten siebziger und achtziger Jahre, wobei man hier manchmal auch Glück haben kann. Betonfliesenböden im Jugendstil sind nicht nur optisch ansprechend, sondern sogar wertvoll. Vorsichtig entfernt, kann man sie um erstaunlich hohe Preise verkaufen – der Markt für antike Baustoffe boomt.

Wer auf absolute Neutralität setzt und sich für weiße Fliesen mittleren Formats entscheidet, wird u. U. in

Zukunft in einem schlachthausähnlichem Umfeld Duschen und Baden müssen und senkt den Wert seiner Immobilie. Wer sich aber dem Trend der Gegenwart bedingungslos hingibt, wird in ein paar Jahre womöglich mit einer selbstverschuldeten Designsünde leben müssen.

Meiner Meinung nach gehören Fliesen nur in Bereiche, in denen tatsächlich mit Wasser gearbeitet wird oder in denen eine erhöhte Hygiene von Nöten ist.

Auf dem Boden: Küche und Bad und im Eingangsbereich des Hauses.

An der Wand: über Waschbecken/Spülbecken und als Wandverkleidung für die Dusche, m.E. auch als Spritzschutz für die Badewanne.

Man *braucht* in unseren Breiten also faktisch nur wenige Quadratmeter Fliesen. In südlicheren Ländern dient der geflieste Fußboden als natürliche Klimaanlage. Bei uns macht der weiträumig geflieste Boden nur im Zusammenhang mit einer Fußbodenheizung Sinn.

Das Fliesen ist verhältnismäßig kostspielig und zeitaufwendig. Der Preis der Billigfliese vom Baumarkt fällt hier weit weniger ins Gewicht als das zur Verarbeitung nötige Material, wie Kleber, Fuge, Kreuze, Werkzeuge etc. Besonders hübsche Fliesen darf man freilich in der unteren Preisklasse auch nicht erwarten und das Ergebnis kann, vor allem wenn es im DIYS-Verfahren nicht 100%ig ausgeführt wurde, u. U. ein wenig, nun sagen wir: „billig“ wirken.

Aus diesen und anderen Gründen habe ich mich praktisch vollständig von der Fliese als flächendeckendem Gestaltungselement verabschiedet. Meine Überlegungen liefen auf zwei Punkte hinaus:

1. Ich wollte nur möglichst kleine Fläche fliesen, und nur, wo dies absolut unumgänglich war, um Zeit und Geld zu sparen.

2. Ich wollte zeitlos-schöne Fliesen haben, die den Wiederverkaufswert meines Hauses steigern.

Daher habe ich nur die nötigen Boden- sowie die spritzwasserbelasteten Bereiche gefliest, diese aber mit sehr hochwertigen Fliesen, im Stil des Baujahres des Hauses – im meinem Fall war das der Jugendstil.

Low-tech-low-cost Optionen für die Badverschönerung

Wandfliesen müssen nicht notwendig immer ausgetauscht werden, wenn sie nicht gefallen. Es gibt auch die Möglichkeit, sie zu streichen. Die Spezialfarbe dafür gibt es im Baumarkt. Mit zweimaligem Überstreichen bekommt man auch sehr dunkle Fliesen weiß. Für Badewannen und Waschbecken gibt es ähnliche Systeme. Doch gerade beim Waschbecken rate ich eher zum Kauf eines gebrauchten Stückes in der gewünschten Form und Farbe – bei Ebay-Kleinanzeigen oder quoka dürfte man schnell fündig werden.Teilweise werden sogar intakte Waschbecken und Badewannen gegen Abholung verschenkt.

Die Lösung, das Bad einfach zu streichen, ist zwar nicht ganz kostenlos – die Farbe ist sogar recht teuer – aber das Ganze kommt immer noch weit billiger als eine Komplettrenovierung und ist vor allem weit weniger arbeits- und zeitintensiv. Fugen können gleichfalls in verschiedenen Farbtönen nachgebessert werden, nachdem sie zuvor gründlich mit einem Fugenkratzer und entsprechender Chemie gereinigt wurden – bei vollgefliesten Bädern eine wahre Sisyphusarbeit! Auf den Boden kann man kleinformatige Holzfliesen legen. Diese für die Außennutzung bestimmten Quadrate halten Feuchtigkeit und Wasser in Maßen aus und sind angenehm fußwarm; zum Wischen hebt man sie einfach an. Eventuell tut es aber auch ein schmucker Badteppich – Geschmackssache.

Bodenbeläge

Neben der Fliese (Feinsteinzeug) und dem im Wohnbereich sehr seltenen Echt- und/oder Natursteinboden sind die gängigsten Bodenbeläge:Teppich (Auslegeware), Linoleum/PVC (Auslegeware), Holz (Dielen, Parkett, Kork) und Laminate. Jede dieser Bodenarten hat Vor- und Nachteile.

Teppiche

...sind fußwarm und feuchtigkeitsregulierend. Auch der Laie kann sie verlegen. Der Untergrund muss eben sein. Fehlstellen sind mit Ausgleichsmasse oder OSB-Platten vorzubereiten. Die Entfernung ist normalerweise recht einfach. Wurde der Teppich verklebt, müssen die Kleisterreste sorgfältig beseitigt werden. Neben der Ware von der Rolle, gibt es auch Teppichfliesen.

Die Preise reichen von absurd billig für teils sehr minderwertige und gesundheitlich nicht immer unbedenkliche Ware, bis absurd hoch für extrem haltbare oder feine Produkte z.B. aus Schurwolle.

Billige Teppiche aus Kunstfasern können eine Weile stark riechende Ausdünstungen abgeben. Ebenso der verwendete Kleister – achten Sie hier unbedingt auf die Anwendungshinweise.

Teppiche sind von allen Bodenbeläge die pflegeintensivsten. Weniger haltbare Produkte laufen sich in den stärker beanspruchten Bereichen ab oder bleichen aus. In den Schlingen verfängt sich allerlei Staub, Sand, Haare und was nicht alles noch. Neben dem regelmäßigen Absaugen ist alle Jahre eine Nass-Reinigung mit einer entsprechenden Maschine ratsam. Diese Geräte kann man im Baumarkt relativ günstig mieten. Dort findet man auch die passenden Reinigungsmittel.

Vorsicht!

Teppiche aus Wolle müssen mit Spezialmitteln gereinigt werden; teilweise vertragen sie überhaupt keine maschinelle Reinigung.

Der Teppich ist gerade im Altbau erstaunlich weit verbreitet. Selbst in Küche und Bad findet man ihn. Der Grund dafür liegt zweifellos in seinen wärmeisolierenden Eigenschaften. Ein ungedämmter Fußboden, etwa im EG über einem Natursteinkeller, kann extrem kalt werden. Die zwischen den Schlingen stehende Luftschicht wirkt dagegen als Dämmung. Eine Alternative zur Auslegware waren und sind großformatige Teppiche, die teils in mehreren Schichten übereinander gelegt werden. Wir kennen den obligatorischen Perser, der in jeder beschaulichen Stube der siebziger Jahre zu finden ist – dort aber wohl eher, um das teure Parkett im Wohnzimmer vor Kratzern zu schützen. Ich neige dazu, ältere, unansehnliche und aus Kunstfasern gefertigte Teppichböden zu entfernen. Das geht, wie gesagt, leicht und gerade im Fußbodenbereich, vor allem wenn man kleine Kinder hat, scheint es mir von Vorteil, zu wissen, worauf diese spielen. Grundsätzlich würde ich nur zu echtwollenen (Schurwolle, ungefärbt, unbehandelt, ökologisch) Teppichen raten. Die verlegte Fläche ist doch recht bedeutend und die Gefahr, in irgendwelchen Ausdünstungen zu stehen, nicht zu unterschätzen. Leider liegen Wollteppiche preislich sehr hoch. Für mein letztes Projekt musste ich 35€/qm bezahlen. Das ist ein stolzer Batzen Geld, wenn man bedenkt, dass man hier schon einen rabattierten Preis vor sich hat. Ursprünglich wollte der Händler 49€/qm. Bei der Quantität meiner Bestellung (über 100qm) hat er sich dann aber auf langwierige und sehr zähe Verhandlungen eingelassen und endlich nachgegeben.

Tipp! Rabatte abfragen!

Bei größeren Bestellungen fragen Sie bitte immer nach dem obligatorischen Skonto von 3% und darüber hinaus nach weiteren Rabatten. Sie werden so über die Dauer Ihrer Renovierung je nach Umfang der Arbeiten leicht mehrere hundert bis zu mehreren tausend Euro einsparen. Dieses Geld liegt förmlich auf der Straße, Sie müssen nur danach fragen!

Linoleum/PVC/Vinyle

Diese Böden sind mit Ausnahme des gerade in Mode gekommenen Vinyl, recht billig, leicht zu verlegen, pflegeleicht, hygienisch und wenn man nicht gerade die minderwertigste Qualität einkauft auch sehr, sehr langlebig. Es gibt praktisch unendliche Gestaltungsmöglichkeiten, da Muster und Motiv nach Belieben aufgedruckt werden können. Sie können Ihr eigenes Photo auf dem Boden verlegen lassen, wenn Ihnen der Sinn danach steht.

Lino-Böden und Ihre Verwandten haben den schlechten Ruf billig und hässlich zu sein. In den letzten Jahren hat sich der Trend jedoch wieder etwas gewandelt. Die guten Eigenschaften eines hochwertigen Linos befördern dieses Comeback.

Gerade im Bad und Küchenbereich kann er die teurere und schwieriger zu verlegende Fliese ersetzen. Selbst als Spritzschutz eignet er sich – dies allerdings nur, wenn man über eine gewisse ästhetische Toleranz verfügt. Das Bad meiner Studentenbude war komplett mit braunem PVC eingekleidet: Boden, Wände und selbst die Decke! Sauber geworden bin ich unter der Dusche trotzdem.

In Wohn- und Schlafräumen kann man einfarbige Böden in neutralen Farben wählen und diese dann mit großformatigen Teppichen belegen. Linoböden sind fußkalt (glatte Oberfläche).

Achtung! Böden sauber verkleben!

Kunststoffböden sind luft- und wasserdicht. Wenn Sie Probleme mit Bodenfeuchtigkeit haben, kann sich ggfs. unter dem Boden Nässe sammeln. Der verwendete Kleister (bei größeren Räumen nötig) bietet dem Schimmel einen idealen Nährboden. Dazu kommt, dass das Problem lange unentdeckt bleibt. Vor allem, wenn der Boden nicht absolut korrekt, d.h. ohne Lufteinschlüsse und dicht verlegt wurde, können Schwierigkeiten folgen. Da er dichtet, ist diese Bodenart u.U. auch auf einem Holzboden bedenklich, weil er die natürliche Luftzirkulation und damit die Feuchtigkeitsregulation behindert.

In kleineren Räume (bis max. 20qm) kann der Kunststoffbodenbelag bequem lose verlegt werden. Die passenden Zuschnitte kann man sich im Fachgeschäft erstellen lassen – achten Sie darauf, die Stücke etwas größer zu dimensionieren als tatsächlich benötigt – Verschnitt. Benutzen Sie zurechtgeschnittene Streifen als Leiste. Unebenheiten im Boden müssen vorab mit Spachtelmasse ausgeglichen werden. Die Überstände kann man mit dem Cuttermesser einfach entfernen.

Holzböden

Sie sind meines Erachtens die unangefochtenen Könige unter den Bodenbelägen. Königlich ist aber auch Ihr Preis und die Mühe, die man für die Verlegung auf sich nehmen muss.

Holzböden haben gute dämmende Eigenschaften – nicht so gut wie die von Teppichen, aber weit besser als Fliesen oder Linoleum. Darüber hinaus sind sie haltbar und feuchteregulierend. Der gewichtigste Grund aber, sich für einen Holzboden zu entscheiden, ist sicherlich seine unnachahmliche und zeitlose schöne Optik – vor allem im Altbau. Kaum etwas wirkt so wohnlich und heimelich wie die natürliche Maserung des Holzes und das Gefühl auf einer echten Diele zu laufen.

Neben dem Dielenboden gibt es auch die Variante „Parkett“. Hier werden kleinere Holzstücke verklebt. Heutzutage gibt es für Parkettböden ähnliche Klick-Systeme wie bei Laminatböden, was auch dem Laien die Selbstverlegung ermöglicht. Korkböden dagegen verklebt man wie Teppichfliesen. Kork ist etwas weicher und wärmer als seine hölzernen Brüdern; auch seine Optik weicht ab.

Tipp! Dielenböden freilegen!

In vielen Altbauten findet sich auch ein Dielenboden. Häufig ist er von anderen Bodenbelägen bedeckt. Es lohnt sich fast immer ihn freizulegen und aufzuarbeiten. Zunächst ist er zu reinigen, dann ggfs. mit einer Schleifmaschine (im Baumarkt zu mieten) aufzuarbeiten und schließlich mit Leinöl-Präparaten (am besten und günstigsten, allerdings mit einigen Tagen Trocknungszeit ist natürliches Leinöl; einen 10l-Kanister bekommt man um die 25€, damit kann man bis zu 100qm Diele behandeln) einzulassen. Letzteres, um ihn vor Schaden durch Nässe zu schützen. Denn so gut Holz mit Luftfeuchtigkeit umgehen kann, so schlecht verträgt es direkte und vor allem länger einwirkende Nässe. Sind einem die Fugen zu weit, kann man diese mit

Holzspachtel schließen.

Will man einen Dielenboden auf Estrich verlegen, muss zuerst eine nässegeschützte Unterkonstruktion erstellt werden. Doch Vorsicht! Hierbei verlieren Sie mehrere Zentimeter Raumhöhe, Ihre Türen werden sich u.U. nicht mehr öffnen oder schließen lassen, Ihre Regale nicht mehr passen usf.

Ein anständiger Dielenboden kann leicht 50€/qm und mehr kosten. Kaufen Sie keine billigen Produkte. Achten Sie auf ausreichende Stärke – der Boden sollte renovierbar sein. Verhandeln Sie den Preis – die Konkurrenz auf diesem Markt ist groß und Nachlässe von 10-30% durchaus realistisch.

Benötigen Sie nur kleinere Mengen, fragen Sie nach B-Ware oder Restbeständen. Diese gibt es teils absurd billig.

Parkett kann man heutzutage – ich erwähnte es bereits – auch in bequem zu verlegenden Klick-Systemen im Baumarkt kaufen. Wenn Sie hier nicht die allerbilligste Qualität wählen, müssen Sie mit wenigstens 20€/qm rechnen. Dazu kommen die passenden Leisten und Eckverbindungen, die meist sündhaft teuer sind.

Tipp! DIYS-Leiste!

Anstatt einer Leiste kann man auch dünne Kanthölzer benutzen, die in der entsprechenden Farbe lasiert sind.

Laminat

Diese sehr beliebte Bodenart ist leicht zu verlegen und rangiert preislich eher am unteren Ende der Skala. Es gibt Laminate um 5€/qm von geringer Stärke und Qualität. Spitzenprodukte können mit über 20€/qm zu Buche schlagen. Die meist neutral gehaltene Holzoptik gefällt den meisten Menschen, was den Siegeszug des Laminat als „Billigholzboden“ wohl erklären dürfte. Unter dem Laminat muss immer eine Trittschalldämmung verlegt werden, die neben akustischen auch positive thermische Eigenschaften besitzt. Laminate werden gekehrt oder gesaugt, nur selten wischt man sie nebelfeucht. Sie verkratzen schnell. Größere Beschädigungen vor allem durch Feuchte sind praktisch nicht mehr zu renovieren. Auf Wasser reagiert diese Bodenart denkbar schlecht.

Laminat ist in gewisser Hinsicht ein Holzboden für Arme, ohne dessen hervorragende Eigenschaften zu besitzen. Er wird heute vielfach verbaut und kommt bei Renovierungen erstaunlich häufig zu Einsatz, und das, obwohl Laminat sich eigentlich für die meisten Altbauten gar nicht eignet: Auf kalten, massiven und natürlich ebenen Untergründen muss eine wassersperrende Folie verlegt werden. Die schwache Trittschalldämmung gleicht viel weniger als ein Teppich Kälte aus. Auf Dielen verlegt ist er schlichtweg widersinnig: Warum ein Imitat, wenn man einen Echtholzboden haben kann?

Low-tech-low-cost Optionen für Bodenbeläge

1. Versuchen Sie den alten Dielenboden, so denn einer vorhanden ist, freizulegen. Dies nicht nur, um seinen Zustand zu überprüfen, sondern auch, um ihn aufzuarbeiten.
2. Erhalten Sie alte Böden so gut es geht. Denken Sie an die Prinzipien, die ich Ihnen zu Beginn dieses Buches nannte: Wenn es nicht kaputt ist, tausch es nicht aus. Gerade wenn Sie knapp bei Kasse sind, ziehen Sie in Erwägung den Austausch eines Fußboden auf einen späteren Zeitpunkt zu verschieben.
3. Wählen Sie großformatige Teppiche in neutralen Farben, um einen unschönen Boden zu kaschieren.

Wohnraumtemperierung und Dämmung

Raumklima

Eine der größten und schwierigsten Herausforderungen beim Renovieren und Bewohnen eines Altbaus ist die Frage des Heizens. Hier geht es fast immer um tausende, manchmal auch um zehntausende Euro – wer hier planvoll und überlegt vorgeht, d.h. ein wenig nachdenkt, bevor er ans Werk geht, kann eine bedeutende Summe sparen oder verschwenden.

Aber fangen wir wieder am Anfang an, denn, um ein Problem zu lösen, muss man es zunächst verstehen.

Ich erwähnte bereits den derzeit herrschenden Dogmenstreit zwischen Dämmbefürwortern und -gegnern. Ich persönlich vertrete eine gemäßigte Position irgendwo in der Mitte. Dämmen ja – aber mit Vorsicht und Verstand. Aber warum streitet man sich eigentlich über dieses Thema? Worum geht es wirklich? Was will man mit nachträglichen Dämmmaßnahmen im Altbau erreichen?

In letzter Konsequenz läuft alles auf das Raumklima hinaus, das in einem Gebäude herrschen soll. Und wie soll dieses sein? Nun, ganz einfach: Artgemäß.

Ein für Menschen gemäßes, d.h. gesundes Raumklima ergibt sich aus verschiedenen Faktoren, wie...

Temperatur (gefühlte Temperatur, Lufttemperatur, Temperatur der Wände, Böden etc.): Ideal um die 20 Grad.

Luftfeuchtigkeit: ideal um die 50%

Schadstoffbelastung: ideal keine.

Ein für Schimmel artgemäßes Raumklima wäre...

Temperatur: Zwischen 10-35 Grad

Luftfeuchtigkeit: über 70%

Schadstoffbelastung: spielt keine Rolle

Das Raumklima beeinflussen wir nicht nur durch unser alltägliches Wirtschaften, sondern bereits durch unsere bloße Anwesenheit. Unser Körper ist eine nicht zu unterschätzende Quelle von Luftfeuchte und Wärme. Darüber hinaus duschen und kochen wir, wir heizen und lüften, wir öffnen und schließen Türen, gehen umher, wir rauchen oder arbeiten mit Chemikalien usf. D.h. wir manipulieren ständig das Klima um uns.

Ein ideales Haus würde unentwegt die klimatischen Eingriffe seiner Bewohner ausgleichen, um ein für diese ideales Raumklima zu gewährleisten. Wenn es kalt ist, würde es heizen. Wenn es heiß ist, würde es kühlen. Wenn die Luft mit Schadstoffen oder nur üblen Gerüchen belastet oder übermäßig feucht wäre, würde es lüften etc.

Diese Erkenntnis ist nicht neu. Menschen haben zu allen Zeiten ein gutes Raumklima geschätzt, schon weil sie wussten, dass sie in einer dauerhaft unvorteilhaften Atmosphäre krank werden. Häuser, die regulär erbaut und für eine dauerhafte Bewohnung konzipiert wurden – ich spreche nicht von Behelfsbauten und dergleichen –, versuchen, ein gesundes Raumklima zu erzeugen und bedienen sich dabei der *jeweils verfügbaren Mittel ihrer Zeit*. Das „intelligente Haus“ der Gegenwart und das „Smarthouse“ der Zukunft sind nur logische Weiterentwicklungen des gleichen Prinzips, wenn auch mit anderen, hochtechnologischen Mitteln.

Dieser Grundsatz sollte bei Renovierungen unbedingt bedacht werden, um nicht durch die Verschmelzung von zwei inkompatiblem Systemen oder Materialien oder Mitteln eine Verschlechterung des Raumklimas oder gar des baulichen Zustands zu verursachen.

Ich will diesen Zusammenhang an einem Beispiel erläutern:

Ein Bauernhaus im mittleren 19. Jahrhundert zeichnete sich durch kleine Fenster, niedrige Decken, massive, gekalkte Wände (meist Fachwerk mit Lehm oder Naturstein) und einen monströsen Grundofen in der Mitte der Stube aus. All dies diente dazu, ein artgemäßes Klima für die meist (aber nicht ausschließlich) menschlichen Bewohner zu schaffen.

Die enge Dimensionierung der Fenster entsprang zunächst dem Gebot der Sparsamkeit am Bau: Fensterglas war teuer. Weiterhin bewirkte die relativ kleine Fläche eine Minimierung des Wärmeverlusts. Man kannte noch keine doppelte Verglasung; man denke nur an die zur Weihnachtszeit viel und schön besungenen Eisblumen an den Scheiben, die heutzutage praktisch unbekannt sind! Gleichzeitig waren die Fenster aber groß genug, um ausreichend Sonneneinstrahlung (Licht, Wärme) ins Innere des Hauses zu lassen; manche Fensterschächte wurde sogar weiter oben an der Wand und in einem bestimmten Winkel angebracht, um einen erhöhten Licht und Sonnenwärmeeintrag ins Gemäuer zu ermöglichen. Die immer undichten Fenster (manchmal nicht einmal zu öffnen) bedingte schließlich eine permanente Zwangsentlüftung des Wohnraums, was nicht nur die Gerüche und Luftfeuchtigkeit regulierte, sondern auch aus Gründen der Sicherheit nötig war: Man kochte ganzjährig mit offenem Feuer.

Die niedrigen Decken verringerten den Raum, der zu beheizen war. Gleichzeitig sparte man Baumaterial. Die Konvenktionswärme, d.h. die erwärmte Luft, verschwand so nicht im Äther schöner und endlos hoher Räume, sondern heizte den Bewohnern kräftig mit ein.

Die gekalkten Wände sorgten für eine gute Hygiene, da sie Keimen und Pilzen keinen Nährboten bieten und desinfizierend wirkten. Die hohe Dichte der Mauern (vollmassiv) half, sowohl die Wärme des Ofens, als auch die Strahlung der Sonne einzuspeichern, um sie dann zeitverzögert an den Innenraum abzugeben. So kühlte das Häuslein auch in einer strengen Winternacht nicht komplett aus, und heizte sich an einem heißen Sommertag nicht allzu sehr auf.

Der Grundofen (oft mit Kochstelle) diente nicht nur zum Zubereiten der Mahlzeiten, sondern auch zur effizienten Beheizung des Wohnraums. Die schweren Wände des Ofens speicherten Wärme ein, die wiederum zeitverzögert abgegeben wurde. So musste nicht den ganzen Tag über Brennholz nachgelegt werden – man hatte schließlich anderes zu tun. Außerdem kam man mit zwei bis drei Abbränden pro Tag über die Runden, was Brennmaterial sparte.

Meine Darstellung dieser Dinge ist sicherlich stark vereinfacht, aber Sie bekommen einen Eindruck davon, wie präzise ein Haus auf die Bedürfnisse und Lebensgewohnheiten seiner Bewohner abgestimmt ist. Stellen Sie sich nun einmal vor, Sie könnten in die Zeit zurückreisen und brächten ein Set superdichter Fenster nebst Kunststoffeingangstüre und Dachdämmung, nebst Dampfbremse mit. Stellen Sie sich vor, Sie würden, um Ihren Ahnen ein bisschen Warmluft zu sparen, die einglasigen mit Fenstern im Passivhausstandard ersetzen und das Dach luftdicht versiegeln, um die eingebrachte Dämmung vor Feuchte aus dem Innenraum zu schützen. Was glauben Sie, würde passieren? Nun, die Bewohner würden vielleicht ersticken (Kohlenmonoxidvergiftung wegen des offenen Feuers) oder aber sie ließen die Fenster permanent ein Stück weit geöffnet. Das aber würde zu sehr kalter Zugluft führen. Ihre schlauen Ahnen würden daher die geöffneten Fenster mit schweren Stoffen verhängen. Nun aber wäre es stockdüster in der Hütte... Man kann dieses Spiel noch weiter treiben, aber ich denke Sie ahnen, worauf ich hinaus will und sehen die Notwendigkeit jeden Eingriff in den Bestand vorab reiflich zu überlegen. Fast jede Maßnahme führt zu unerwünschten „Nebenwirkungen“, die zuvor bedacht sein wollen. Verwenden Sie daher stets kompatible

Systeme!

Warmluft gegen Strahlungswärme? Das Beste beider Welten!

Wir kennen zwei Arten, einen Raum zu temperieren: Entweder erwärmen wir die Luft (Konvektion) oder wie erwärmen die Wände, Möbel, Boden und uns selber, alles also, was über eine gewisse Masse und Fläche verfügt mittels Strahlungswärme. Das „entweder“ in dem vorgängigen Satz ist freilich missverständlich. Sobald wir heizen, erzeugen wir immer beide Wärmearten. Der Heizkörper einer modernen Zentralheizung hat einfach einen geringen Anteil an Strahlungswärme, die Infrarotplatte oder Marmorheizung hat einen geringen Anteil an Konvektionswärme.

Beide Temperierungsmethoden haben Vor- und Nachteile.

Für Strahlungswärme werden höhere Vorlauftemperaturen benötigt. Infrarotplatten etwa heizen sich auf ca. 100 Grad auf (je größer die Strahlfläche, desto kleiner kann die Temperatur sein, siehe Fußbodenheizung). Strahlungswärme ist in ihrer Reichweite stark begrenzt. Sie eignet sich also nur für kleinere Räume. Weitläufigere Räume brauchen mehrere Wärmequellen oder größere Wärmequellen wie z.B. der Fußboden, die Wände (Wandheizung) etc. Räumlichkeiten mit hohen Decken sind gleichfalls schwerer zu beheizen.

Die Vorteile eines Heizsystems, das Strahlungswärme bevorzugt, sind allerdings bedeutend. Durch die Erwärmung der Wandflächen wird Schimmelbildung vorgebeugt, da sich dort kein Kondensat niederschlagen kann (Schimmel braucht Feuchte; Taupunkt). Die angestrahlten Wände werden zudem permanent getrocknet, was ihre dämmende Wirkung erhöht: Ein trockener Pulli hält wärmer als ein nasser. Da die Konvektion eher gering ist, werden Staubaufwirbelungen reduziert; das ist gut für Allergiker wie mich. Die Wärmeverteilung ist innerhalb des Wirkungsbereiches einer Strahlungsquelle optimal, was den tatsächlichen Energieverbrauch faktisch senkt. Da Strahlungswärme anders gefühlt wird als warme Luft, empfindet man bereits geringere Temperaturen als ausreichend: Denken Sie nur an die Menschen, die sich im tiefsten Winter im Hochgebirge leichtbekleidet sonnen, während um sie herum Ski gefahren wird – die Strahlung der Sonne wärmt sie, während die Luft sehr kalt bleibt.

Es gibt einige Hersteller von Infrarotheizungen oder Kachelöfen, die wohl aus werbetechnischen Gründen noch einige gesundheitliche Aspekte ist Feld führen. Diese habe ich in meinem Fall (ich lebe jetzt sein 5 Jahren mit, d.h. unter Infrarotplatten) nicht feststellen können. Diese Geräte machen Blinde nicht sehend und Lahme nicht gehend – aber warm machen sie, und das ist ja auch schon etwas. Konventionswärme hat den Vorteil, dass sie sich schnell und weit verteilt. Das macht sie ideal zum Heizen großer, geschlossener Räume mit normaler Deckenhöhe. Die große Wärmeverteilung kann genutzt werden, um eine Grundtemperatur zu erzeugen und zu halten. Während man bei Strahlungsheizungen eine gewisse Strahlfläche braucht, sind Konventionssysteme generell eher platzsparend bemessen und durchschnittlich auch günstiger als ihre strahlenden Konkurrenten zu erwerben, d.h. der Kaminofen mit einfacher Stahlverkleidung ist günstiger als ein Kachel- oder Grundofen, eine 1000W-Infrarotplatte ist kostspieliger als ein 1000W-Heizlüfter oder Öl-Radiator.

Meiner Erfahrung nach ist eine Kombination beider Heizarten in praktisch jeder Wohnsituation ideal. Ich benutze einen Kaminofen mit Specksteinverkleidung (etwa 400kg) um im Winter bei allseits geöffneten Zimmertüren Warmluft im Haus zu verteilen. Tatsächlich dringen die erhitzten Luftmassen sogar bis in den oberen Stock. Darüber hinaus benutze ich Infrarotplatten, die ich an die Decke montiert habe. Diese schalten sich bei einem Temperaturabfall unter 18 Grad (wg. Strahlung gefühlte 20-21 Grad) ein und sorgen dafür, dass vor allem Außenwände, Hausecken und Fensterbereiche gut temperiert sind, da diese die kälte- und feuchteanfälligsten Stellen im Haus sind. Durch die Kombination beider Heizarten spare ich auch im Verbrauch Geld, bzw. gebe nicht signifikant mehr aus (in meinem Fall sind es zwischen 200-500€ pro Jahr) als eine Zentralheizung im Verbrauch kosten würde. Holz ist sehr billig, Strom dagegen sehr teuer.

Wie haben es die Erbauer gemacht? Der Urzustand als Renovierungsrichtlinie

Unterstellen Sie vor Ihrem Renovierungsprojekt den ehemaligen, vermutlich schon lange verblichenen Bauherrn, dass jene dieses Gebäude nach bestem Wissen und Gewissen errichtet haben, dass sie nachdachten und planten und nicht, wie einem von manchem Modernisierungsfanatiker eingeredet wird, alles falsch gemacht haben. Eine, zwei, drei und mehr Generationen haben dieses Haus bewohnt, was beweist, dass es funktioniert!

Eine günstige Renovierung sollte sich primär am historischen Neubauzustand des Hauses orientieren, diesen instand setzen und erst sekundär, vorsichtig und mit viel Bedacht, Modernisierungen einbringen. Auch die Menschen früherer Generationen wollten es warm und trocken und behaglich haben und sie erreichten ihr Ziel zumeist, wenn sie für das Bauen die nötige Muße und entsprechende Ressourcen übrig hatten.

Achtung! Nachkriegsbauten!

Eine Ausnahme bilden hier freilich die aus blanker Not erwachsenen Hütten oder eilig zusammengeschusterten Behelfsbauten. Vor allem die Nachkriegsjahre haben etliche dieser Gebäude hervorgebracht. Von diesen oft minderwertig hergestellten Behausungen sind die meisten zwar bereits wieder eingerissen worden, doch hier und dort finden sich immer noch vereinzelte Exemplare. Seien Sie bei den Baujahren 1945-1948 sehr skeptisch. Vor allen in den Randbereichen ausgebombter Städte tummeln sich noch etliche dieser Bauten. Prüfen Sie die Substanz sehr genau! Prüfen Sie, ob eine Baugenehmigung vorliegt oder ob nur Bestandsschutz besteht. Im letzteren Fall dürfen keine baulichen Veränderungen mehr vorgenommen werden – das Gebäude ist gesetzlich lediglich geduldet. Die Duldung verwirkt mit baulichen Veränderungen.

Lüften, Fenster!

Für ein gutes Raumklima ist unabdingbar, den Eintrag an Luftfeuchtigkeit durch die Bewohner aus den geschlossenen Räumlichkeiten wieder abzuleiten. Früher waren alle Fenster mehr oder weniger undicht. Das bewirkte eine permanente Zwangsentlüftung, die tatsächlich auch erwünscht war. „Das muss atmen können!“ Dieser allgemein bekannte Grundsatz meint nicht, dass ein Haus wirklich atmet, sondern nur, dass zwischen Innen- und Außenraum ein Luftaustausch stattzufinden hat. Sind die Fenster dicht, muss man mehrere Male am Tag lüften. Sind die Fenster leicht undicht, kann man sich das meist sparen; man lüftet dann nur, wenn ein ungewöhnlich hoher Feuchteeintrag, etwa durch Kochen oder Baden, entstanden ist, oder um unerwünschte Gerüche zu beseitigen.

Die modernste Lösung für dieses Problem ist der Luftaustausch über ein elektrisches Belüftungssystem mit Wärmerückgewinnung, Pollenfilter etc. Die Entscheidung, ob Sie ein intaktes Holzfenster für sich lüften lassen oder eine mehrere tausend Euro teure und keinesfalls unterhaltskostenfreie (Filteraustausch, Strom, Wartung, Reinigung der Kanäle etc.) Belüftungsanlage dazu installieren, überlasse ich Ihrem gesunden Menschenverstand und Ihrem Budget. Im dichten und hochgedämmten Passivhaus macht so eine Anlage womöglich Sinn, im Altbau wohl eher nicht.

Wurden bereits dichte Fenster verbaut, können Sie einfach ein etwa 10-20 cm großes Stück der oberen Fensterdichtung (Gummilippe) herausschneiden, um einen kontrollierten Luftaustausch zu gewährleisten. Das habe ich bei meinen Fenstern (BJ 2007) gemacht: Weder sind dadurch meine Heizkosten gestiegen, noch „zieht“ es bei mir. Meine Scheiben sind am morgen jedoch nie beschlagen und das Feuchteniveau liegt auch in Herbst und Winter meist irgendwo zwischen 45-55%.

Rollläden/Fensterläden

Sie verdunkeln den Innenrum, schützen im Sommer vor unerwünschter Sonneneinstrahlung und sparen im Winter Heizkosten, da sich zwischen Rollladen und Fenster eine stehende und damit isolierende Luftschicht bildet. Zudem schützen sie die Scheiben bei Sturm und Hagel. Oft ist der Rollladenkasten im Fenstersturz mit verbaut, was bei mangelnder Dämmung eine Schwachstelle in der Außenwand bildet. Hier ist ein wenig Dämmmaterial tatsächlich sinnvoll. Besser als innenliegende Rollladenkästen sind solche, die direkt am Fenster außenseitig montiert sind. Man sieht sie oft bei nachträglich eingebauten Fenstern im Altbau und mittlerweile auch bei recht vielen Neubauten. Alte Fensterläden sollte man renovieren. Sie sind nicht nur schön und bei entsprechender Pflege sehr haltbar, sondern auch praktisch und energetisch vorteilhaft, da aus dickem Holz. Verfügt Ihr Haus über keine Rollläden, ziehen Sie die Installation von Fensterläden in Betracht. Diese gibt es vielfach gebraucht und damit günstig zu erwerben, doch auch neu sind sie für wenig Geld zu kaufen. Auch der Laie kann sie leicht installieren.

Innenjalousien sind noch günstiger. Sie verdunkeln, wenn auch nicht vollkommen, und schützen vor unerwünschter Sonneneinstrahlung, wenn sie Wärme auch weit weniger gut abhalten.

Low-tech-low-cost Optionen für Sonnenschutz bei Dachfenstern

Ausgebaute Dachböden im Altbau sind gerade im Sommer sehr hitzeanfällig. Die größten Wärmeeinträge finden durch nachträglich eingebaute Dachflächenfenster statt. Wer bei direkter Sonneneinstrahlung einmal seine Hand an so eine Dachscheibe hält, weiß, wie heiß es dort werden kann. Die Hersteller dieser Fenster bieten in der Regel drei Systeme an, um dieses Problem zu lindern:

1. Innenliegende Thermo-Jalousien
2. Außen angebrachte Jalousien mit Netzstruktur (Shades)
3. Rollläden

Die erste Variante ist die günstigste (um die 30€), bringt aber recht wenig.

Die zweite Variante bringt eine deutliche Verbesserung, ist aber weit teurer. Für kleine Flächenfenster werden hier über 50€ für eine Montageset fällig.

Die dritte Variante ist die teuerste, aber auch die beste. Hier zahlt man pro Fenster oft mehrere hundert Euro. Auch der Einbau ist für den Laien nicht immer ohne Schwierigkeiten zu bewerkstelligen, sodass hier u.U. noch ein bis zwei Handwerkerstunden pro Fenster dazukommen.

Doch es geht auch anders. Hier meine Billiglösung:

Falls neben dem Dachflächenfenster noch ein normales Fenster für den nötigen Lichteinfall sorgt, wählen Sie diese Variante: (1) Alufolie aus dem Supermarkt – die billigste ist gut genug. Mehrere Schichten in Scheibenbreite (rahmenseitig zwei Zentimeter Überstand, damit die Scheibe voll bedeckt ist), aber deutlich über Fensterlänge (mindestens je 20 Zentimeter), sodass sie oben und unten eingeklemmt werden kann. Die Seitenränder der Schichten mit Packband verkleben. Fenster in Reinigungsstellung bringen, einen windstillen Moment abwarten, einklemmen, fertig. Kostenpunkt pro Fenster: Weniger als einen Euro. Haltbarkeit: Ein-zwei Jahre. Achtung! Bei Sturm und Regen die Hitzeschilder unbedingt einholen! Sturm zerreißt die Folien, Regen läuft an ihnen in den Innenraum.

Falls die Dachflächenfenster die einzige Lichtquelle im Raum sind, können Sie diese nicht vollständig verdunkeln. Hier die Alternative: (2) Kaufen Sie im Baumarkt möglichst engmaschiges Armierungsgewebe. Schneiden Sie eine Schicht genauso so wie die Alufolie: Passende Breite, aber je 20 Zentimeter Überstand. Schneiden Sie dann zwei oder drei Schichten in passender Länge <u>und</u> Breite. Befestigen Sie diese mit Reparaturband (silberfarbiges Klebeband) in der Mitte der längeren Schicht, sodass Sie ein mehrschichtiges Gewebe über dem Fenster haben, oben und unter aber nur eine Schicht, die eingeklemmt werden kann. Kostenpunkt pro Fenster 3-4€, Haltbarkeit: Unbekannt, meine Shades halten seit 4 Jahren, wobei ich das Reparaturband jedes Jahr erneuere.

Heizlösungen im Altbau

Kachelöfen/ Grundöfen

Wenn Sie Glück haben, ist die ursprüngliche Infrastruktur des Hauses noch ganz oder zumindest in Teilen erhalten.

Den mittelalterlichen Grundofen werden Sie wohl nicht mehr finden, den grünen- oder braunen Kachelofen der 50er-70er Jahre indes schon. Dieser mag zwar heute nicht mehr gefallen, heizt aber günstig, gesund und effektiv weite Teile des Gebäudes. Manche Kachelöfen wurden bis in das darüberliegende Stockwerk gezogen oder versorgten durch Warmluftkanäle auch entlegenere Räumlichkeiten. Kleinere Zimmer wurden teils mit Miniöfen beheizt. Teilweise waren auch diese gekachelt – entsorgen Sie diese Kuriositäten in diesem Fall bitte nicht und wenn, versuchen Sie sie zu verkaufen. Sie werden erstaunt sein, was man Ihnen dafür bezahlt!

Urteil: Unbedingt erhalten!

Einzelöfen

Häufig findet man diverse Öl-, Kohle-, Holz- seltener Gaseinzelöfen. Öleinzelöfen werden traditionell mit einer Kanne befüllt. Schlägt Ihnen in Häusern, die auf diese Weise beheizt wurden, ein beißender Geruch entgegen, wurde vermutlich schwarzes Gold verschüttet, das mittlerweile in den Boden eingezogen ist. Die Beseitigung solcher Schäden ist oft aufwendig und immer unerfreulich. Der beißende Gestank kann aber auch eine weniger dramatische Ursache haben: Ein Ölrest steht noch im Ofen und/oder jener wurde nicht ordentlich gereinigt. Die Öfen sollten am Ende der Heizsaison gründlich gereinigt werden, um einer Geruchsbelästigung vorzubeugen. Gasöfen kennen dieses Problem nicht.

Nicht selten wurden Öleinzelöfen nachträglich mit einer Zentralversorgung ausgestattet. Kanäle führen zu einem Öltank im Keller, sodass man sich um Nachfüllen oder Verschütten keine Gedanken mehr machen muss, wohl aber um Leckagen, die oft zu spät entdeckt werden.

Egal mit was sie befeuert werden sind Einzelöfen generell weit besser als ihr Ruf. Sie sind effizient, sicher und günstig im Unterhalt. Wenn einem die Optik der braunen Kästen nicht gefällt, kann man sie mit neueren, ästhetisch ansprechenderen Produkten relativ günstig ersetzen. Teurer ist der Kaminofenlook mit sichtbarer Flamme. Alles eine Frage des Geschmacks und des Geldes.

Low-tech-low-cost Option für bessere Wärmeverteilung

Nicht selten stößt man auf folgende Kuriosität: Das Rohr des Einzelofens wandert nicht direkt in den Schornstein, sondern macht erst mittels Durchbruch einen Umweg in das Nebenzimmer. Hier wird die Hitze der Abgase, die das ungedämmte Rohr sehr stark erwärmen, ausgenutzt. Diese verirrten Rohre muten heute seltsam an. Wer sich aber an den Anblick zu gewöhnen vermag, wird erstaunt sein, wie effizient diese Lösung tatsächlich ist.

Ziehen Sie in Erwägung, die vorhandene Ausstattung mit Einzelöfen zu erhalten oder zu modernisieren, bzw. instandzusetzen. Sie sparen damit einen Batzen Geld und haben ein verlässliches und erprobtes Heizsystem. Bevor sie eine Zentralheizung einbauen lassen, probieren Sie den ersten Winter im neuen Heim die alte Heizung einfach einmal aus und entscheiden Sie danach, ob Sie sich den fünfstelligen Betrag für die neue Heizung nicht lieber sparen möchten.

Urteil: Nach Möglichkeit erhalten!

Nachtspeicheröfen

Diese Geräte benötigen Starkstrom und eine entsprechend gesicherte vom Hausstrom abgekoppelte E-Installation. Am besten sind sie vielleicht als überdimensionierte Heizlüfter mit Wärmespeicherfunktion zu beschreiben. In der Nacht, wenn der günstigere Nachtstromtarif zählt oder zählte – denn solche Tarife sind recht rar geworden –, heizen sie eine Batterie von Schamottensteinen auf, die die Wärme dann über den Tag verteilt abgeben – darum der Name: Nacht-speicher-ofen. Ein kleiner Ventilator bläst die an den Schamotten entlangfließende und sich dabei erwärmende Luft oberseitig aus, während von unten kalte Luft angesogen wird. Nachtspeicheröfen sind Konvektionsheizungen, d.h. sie wärmen mittels zirkulierender Warmluft. Dabei wirbeln sie auch eine Menge Staub auf, was ihren Einsatz für Allergiker bedenklich macht. Ältere Modelle sind oft mit Asbest belastet. Ihr Betrieb ist zudem alles andere als geräuschlos. Man muss sich an ein konstantes Brummen gewöhnen. Neuere Modelle sind bedeutend leiser, ohne Asbest und ästhetisch erträglicher. Trotzdem...

Urteil: Ersetzen!

Der Austausch dieser Systeme hat mehrere Gründe:
1. Sie sind teuer im Betrieb.
2. Sie sind unhygienisch. Staub und Schmutzpartikel werden vom Boden aufgesogen und durch den gesamten Raum gewirbelt. (Bei neueren Modellen ist meist ein

Flusensieb verbaut, das gereinigt werden kann.)

3. Ältere Modelle, die mit Asbest belastet sind, stellen u.U. ein Gesundheitsrisiko dar. (Nicht bei neueren Modellen.)

4. Ihr geräuschintensiver Betrieb ist störend. (Nicht bei neueren Modellen.)

5. Und der Hauptgrund: Sie sind keineswegs zukunftssicher. Der Gesetzgeber hat schon einmal diese Heizungsart verboten, ist dann aber wieder zurückgerudert. 2020 stehen die Kästen erneut auf dem Prüfstand – mit ungewissem Ausgang.

Zentralheizsysteme

Ältere Zentralheizsysteme funktionieren im Prinzip wie moderne: Wasser wird in einem Brenner erhitzt und dann mittels Leitungen zu den verschiedenen Heizkörpern transportiert. Die Heizkörper erwärmen die sie berührende Luft, dabei entsteht Warmluftkonvektion.

Heizkörper waren früher insgesamt schwerer und flächiger gearbeitet. Dadurch erhöhte sich der Anteil an Strahlungswärme. Heutige Heizkörper setzen verstärkt auf Konvektion mittels Lamellentechnik; dies wohl, weil hierzu bereits niedrigere Vorlauftemperaturen ausreichend sind, was grundsätzlich energiesparend ist (Niedertemperaturheizung). Neben den konventionellen Brennstoffen wie Öl und Gas begegnen einem ab und an auch Systeme, in denen zum Beispiel Scheitholz verbrannt werden kann. Sofern diese Heizungen noch funktionieren und ihr Betrieb zulässig ist, tauschen Sie sie nicht aus. Ältere Heizkörper aus Gusseisen sollten ebenfalls erhalten werden. Haben Sie keine Angst vor hohen Vorlauftemperaturen. Fragen Sie die Vorbesitzer nach Verbrauchskosten und Heizgewohnheiten. Profitieren Sie von ihrer Erfahrung, bevor Sie eine teure und eventuelle nutzlose Umrüstung ins Auge fassen.

Moderne Zentralheizsysteme benutzen Sie selbstverständlich einfach weiter.

Urteil: Erhalten!

Zwei Ideen zum kostengünstigen Umrüsten, bzw. Neuausstatten Ihres Altbaus mit einer flächentemperierenden Heizung

Wenn Sie sich gegen den Erhalt des vorhandenden Heizsystems entschieden haben, prüfen Sie bitte zunächst die vorhandene Infrastruktur: Wir wollen diese nach Möglichkeit weiternutzen, um Geld und Zeit zu sparen. Sie ersetzen also nach Möglichkeit elektrische Heizungen mit elektrischen Heizungen, Einzelöfen mit Einzelöfen usf. Sie haben nun die Möglichkeit, entweder vorhandene Komponenten durch moderne Modelle gleicher Funktionsweise zu ersetzen, oder Sie ersetzen sie mit anderen Heizsystemen, die jedoch mit der vorhandenen Infrastruktur kompatibel sind. Das klingt kompliziert, ist aber ganz einfach. Folgenden Matrix nutzen Sie bitte als beispielhaften Ideengeber.

Infra-struktur	**Typ/Heiz art (alt)**	**Typ/Heiz art(neu)**	**Kosten**	**Heiz-kosten**
Elektro	Nacht-speicher-öfen *Warmluft*	Infrarot-heizungen *Strahlung*	ca. 2000€ für 10 Platten	
Zentrale Ölver-sorgung	Öleinzel-öfen *Warmluft*	Öleinzel-öfen *Warmluft*	ca. 2400€ für 6 Öfen	
Schorn-	Öleinzel-	Pellet-	ca. 6000€	

stein	öfen *Warmluft*	einzelöfen *Warmluft*	für 3 Öfen	
Zentrale Ölversorgung/ Schornstein	Kachelofen (holzbefeuert) *Warmluft/ Strahlung*	Kachelofen mit Öleinsatz und Anschluss an zentrale Ölversorgung *Warmluft/ Strahlung*	Einsatz plus Anschluss etwa 1000€	

Wenn Sie ein Heizsystem mit neuer Infrastruktur installieren wollen, werden die Kosten auf jeden Fall bedeutend höher ausfallen, als wenn Sie bereits Vorhandenes weiternutzen. Doch auch hier gibt es die Möglichkeit viel Geld zu sparen. Ich gehe im Folgenden davon aus, dass Sie wasser- oder stromführende Leitungen durch Ihr Haus ziehen wollen, um daran Heizkörper zu befestigen. Wenn Ihre Heizung nicht elektrisch betrieben wird, brauchen Sie zudem einen geeigneten Schornstein, bzw. müssen diesen mit einem Einsatz ausstatten – moderne Niedertemperatursysteme haben da ihre ganz speziellen Bedürfnisse. Weiterhin werde ich über die Warmwasserbereitung und Brennstoffe im Allgemeinen sprechen. Überall liegen hier mehr oder weniger offensichtliche Einsparpotentale, die zu Gänze genutzt, mehrere tausend Euro ausmachen können.

Warmwasserführende Leitungen können auf dem Putz installiert werden. Das spart Geld, Arbeitszeit und hat positive Auswirkung auf die Effizienz des Heizsystems. Die durch das Heizwasser transportierte Wärme wird nicht in den Putz eingebracht, sondern verbleibt komplett im Raum. Gefallen Ihnen offenliegende Leitungen nicht, können Sie diese mittels eines Sockels dezent verbergen. Ist der Sockel an der Oberseite leicht undicht, bzw. perforiert, kann Wärme kontrolliert entweichen. Leitungen auf dem Putz können Sie auch als Laie verlegen, das ist kein Hexenwerk. Wollen Sie etwas Gutes für Ihr Haus tun, verlegen Sie die Leitungen nicht an den Innenwänden, sondern wählen den oft längeren Weg über die Außenwände – so temperieren Sie ein Stück weit die von Kälte am stärksten betroffenen Bereiche und verbessern durch Trocknung der Wand deren dämmende Eigenschaften.

Ein Schornstein wird durch eine Zentralheizung meist voll belegt. Verfügt Ihr Haus über nur einen Zug, berauben Sie sich der Möglichkeit als Zusatzheizung einen Kamin- und/oder Kachelofen zu nutzen. Weiterhin muss aufgrund des besonderen Abgasverhaltens moderner Heizungen meist ein Einsatz in den Schornstein eingelassen werden, was teuer ist. Prüfen Sie daher die Möglichkeit einen separaten Edelstahlschornstein aus Metall an der Außenwand zu installieren oder einen Energieträger zu wählen, der ohne Schornsteinbelegung auskommt, d.i. Strom oder Flüssiggas.

Konventionelle Brennstoffe für Zentralheizungen sind noch immer Öl und Gas. Beide Energieträger stehen vielfach in der Kritik. Schwankende Preise, unsichere Verfügbarkeit und der negative Einfluss auf die Umwelt stehen gegen die recht günstigen Preise der Brennstoffe und Heizsysteme. Die Ölbrennwertheizung eines renommierten Herstellers ist bereits für unter 3000€ (ohne Installation) zu haben. Dazu kommen noch Öltanks, Warmwasserspeicher und was sonst noch für Anschluss und Betrieb nötig ist. Die Kosten werden ohne Installation und ohne die Verlegung evtl. notwendiger Warmwasserleitungen und Heizkörper irgendwo um die 5000-7000€ liegen. Bei einer gasbetriebenen Heizung sparen Sie sich die Tanks, das Tanken und natürlich das Reinigen der Behältnisse, müssen aber einen Erdgasanschluss am Haus haben. Muss dieser – falls überhaupt verfügbar – neu gelegt werden, schlägt das je nachdem mit mehreren tausend Euro zu Buche.

Eine interessante Alternative sind Flüssiggasheizungen. Bei ihnen muss der Schornstein nicht belegt werden, so im Keller eine entsprechenden Abgasleitung installierbar ist. Nachteilig ist der wenig ästhetische Tank auf dem Grundstück. Üblicherweise wird dieser nicht vom Hauseigentümer bezahlt, sondern vom Gaslieferanten gestellt – die Gegenleistung ist ein mehrjähriger Abnahmevertrag zu ungünstigeren Konditionen als Öl oder Erdgas.

Pellets als Brennstoff sind ökologisch und verhältnismäßig preiswert, obwohl auch hier die Preise in den letzten Jahren kontinuierlich angestiegen sind. Pelletheizungen sind teurer als Öl- oder Gasheizungen. Die Lagerung des Brennstoffs ist sehr platzintensiv. Der Lagerraum muss sehr gut belüftet und trocken sein. Sie werden einen guten Teil ihres Kellers für die Lagerung opfern oder die Heizung alle paar Tage manuell befüllen müssen. Kleinere Mengen z.B. für Einzelöfen können in wasserdichten Folienverpackungen gelagert werden.

Ein Comeback haben strombetriebene Heizsysteme in den letzten Jahren erlebt. Im Zentralheizungsbereich sprechen wir von sogenannten Wärmepumpen. Leider sind diese Systeme verhältnismäßig teuer und im Betrieb weniger leistungsstark als konventionelle Systeme. Wärmepumpen beziehen Ihre initiale Wärmeenergie aus Luft, Wasser oder dem Erdreich. Bei den letzten beiden Systemen sind teure und nicht immer behördlich genehmigungsfähige Bohrungen, bzw. das Einbringen von

Sonden in das Grundwasser/ in einen Brunnen etc. notwendig.

Ohne zusätzliche Energieträger kommt eine rein mit Strom (Starkstrom) betriebene Zentralheizung aus. Wo hier allerdings der Vorteil gegenüber elektrischen Direktheizungen wie IR-Platten oder Marmorheizungen liegen soll, ist mir schleierhaft.

Wie beim Auto hat der stolze Hausbesitzer auch beim Kauf des passenden Zentralheizsystems die Qual der Wahl. Wenn er um die notwendige Dimensionierung weiß, kann er aus einer Reihe von Produkten und Herstellern wählen. Manche sind günstig, andere eher teuer. Ich empfehle nicht das exotischste aller Modelle zu erwerben. Eine Zentralheizung ist relativ wartungsintensiv und störungsanfällig. Wartung und Reparatur müssen vom Fachmann erledigt werden, der idealerweise über Erfahrung mit der Anlage verfügt und eventuell benötigte Ersatzteile leicht besorgen kann.

Moderne Brennwertheizung haben eine Lebenserwartung von bis zu 20 Jahren. Gebrauchte Anlagen kann man verhältnismäßig günstig kaufen. Hier liegt ein bedeutendes Sparpotential. Aber Vorsicht: Nehmen Sie nach Möglichkeit einen Fachmann mit, der den Zustand der Heizung objektiv beurteilen kann, sonst sind schnell einige hundert oder gar tausend Euro in den Sand gesetzt.

Sehr oft übernimmt die Zentralheizung auch die Warmwasserbereitung. Ob und inwiefern das immer sinnvoll ist, hängt vom Verbrauchsverhalten und der Anzahl der Hausbewohner ab. Je weniger und bewusster Warmwasser eingesetzt wird, desto überflüssiger wird die permanente Bereitstellung einer großen Menge davon. In meinem Buch „Aussteigen – light“ verhandele ich dieses Thema ausführlich. In meinem Fall ist die dezentrale

Warmwasserbereitung mittels E- und/oder Holzboiler (Badeofen) die sparsamere Variante. Prüfen Sie vor der Investition in eine zentralisierte Warmwasserbereitung deren ökonomische Sinnhaftigkeit.

Fußleisten- und Flächenheizkörper – die bessere Zentralheizung?

Strahlungswärme ist gut für jedes massiv gebaute Haus und seine Bewohner. Wer keinen entsprechend dimensionierten Kachelofen besitzt und auf strombetriebene Flächenheizungen verzichten möchte, der kann auch über ein Zentralheizungssystem diese angenehme Wärmeart gewinnen. Anstatt mit konventionellen Heizkörpern zu arbeiten, setzt man Flächenheizkörper (in manchem Altbau noch zu sehen) oder Fußleistenkonvektoren ein. Letztere erzeugen zwar Warmluft, diese wird aber direkt und über eine relativ breite Fläche an Wandbereiche, vorzugsweise Außenwände, abgegeben. Diese erwärmen sich und strahlen dann in den Innenraum ab.

Ein auf Flächentemperierung ausgelegtes System benötigt grundsätzlich höhere Vorlauftemperaturen. Eine Niedertemperaturheizung erreicht diese nicht – eine genaue Planung des Gesamtsystems in daher nötig. Diese kann leider von vielen Heizungsfachbetrieben nicht vorgenommen werden, da diese auf konventionelle Heizungen spezialisiert sind. Die wenigen Betriebe, die sich etwa auf Fußleistenheizungen spezialisiert haben, sind vergleichsweise teuer. Die Planung eines solchen Heizsystems kann aber auch von einem Architekten erledigt werden.

Innendämmung vs. Außendämmung – Heizen vs. Temperieren

Wenn Ihr Altbau nicht gerade zu jenen Juwelen gehört, deren denkwürdige Fassade denkmalgeschützt ist, werden Sie irgendwann mit dem Problem der energetischen Ertüchtigung Ihres neuen Heims konfrontiert werden. Das Thema Fenster und Dachdämmung habe ich bereits abgehandelt. So bleibt nur noch die heikelste und teuerste Art des Dämmens zu besprechen: die Außendämmung eines massiven Mauerwerks.

Da es sich hier um einen immens schwerwiegenden Eingriff in den Bestand handelt, sind ablehnende wie befürwortende Pauschalaussagen unangebracht. Jedes Haus bildet gemeinsam mit seinen Bewohnern einen einzigartigen Organismus, der sich bei verschiedenen Eingriffen je anders verhalten wird.

Aus persönlicher Erfahrung würde ich bei normal dimensionierten Mauerwerken (d.h. mind. um die 30cm Stärke) von außendämmenden Maßnahmen generell abraten. Nicht nur, dass ich den Einspareffekt für begrenzt halte – und einige Bekannte, die Außendämmungen anbrachten, stimmten mir da zu –, auch die Brandsicherheit bei Polystyrolplatten und die begrenzte Haltbarkeit der Dämmfassade (Lebenserwartung oft unter 30 Jahren!) stimmt mich nachdenklich. Von den horrenden Kosten und der nachhaltigen, fast irreversiblen Veränderung des gesamten Bestands ganz zu schweigen. Verklebte Platten sind zudem nur mit großem Aufwand rückstandsfrei (als Sondermüll) zu entfernen, was oft nicht ohne Beschädigung der Fassade vonstatten geht.

Eine Innendämmung scheint mir da sinnvoller, wobei auch sie einen Eingriff in die Substanz des Hauses darstellt, der wohlüberlegt sein muss. Ich empfehle daher grundsätzlich, nur moderate Maßnahmen zu ergreifen. Neben der mit Polystyrol bewehrten Verbundplatte oder vollverklebten Mineralplatte gibt es noch eine Reihe ökologischer Alternativen. So können etwa Schilfmatten oder Strohschnipsel in den Innenputz (Lehm oder Kalk) miteingebracht werden. Auch Holzfaserdämmplatten sind möglich. Beliebt waren und sind sogenannte Dämmtapeten – sie sind die billigste und zweifellos auch eine der fragwürdigsten Lösungen für kältebetroffene Wände. Wunderwaffen wie Energiesparfarben und dergleichen helfen nur dem Hersteller.

Low-tech-low-cost Tipps zum Energiesparen

Eine Faustregel besagt, jedes Grad, das Sie weniger heizen, spart etwa 10% Heizenergie. Wie alle Faustegeln ist auch diese eher allgemein als akkurat. Trotzdem – auch dies gilt bei allen Faustregeln – spiegelt sie ein geltendes Prinzip wider: Wer weniger und klüger heizt, spart.

Ich hatte einmal einen Nachbar, der sich im Sommer bei Temperaturen über 24 Grad furchtbar beschwert hat. Im Winter heizte er seine Wohnung dann aber auf 26 Grad, um sich in T-Shirt und kurzer Hose über die horrenden Heizkosten aufzuregen.

Meine Familie und ich leben von meinem 450€ Job. Bis auf das Kindergeld lehnen wir jede staatliche Hilfe ab, weil wir uns nicht als bedürftig sehen. Wir gehen sehr bewusst mit unseren finanziellen Ressourcen um, ohne dabei an den falschen Stellen zu sparen. Ein gesundes Haus muss trocken und warm sein. Warm ist aber Definitions-, nein Gefühlssache. In meinem Fall ist das Haus warm, wenn ich das Thermostat auf 16 Grad in ungenutzten und 18 Grad in genutzten Räumen stelle. In der Nacht steht alles auf 16 Grad. Durch den hohen Strahlungsanteil der IR-Platten empfindet man die Temperatur 1-2 Grad höher, als sie tatsächlich ist. Der

Kaminofen ist zusätzlich 16 Stunden am Tag in Betrieb. Nachts lege ich Briketts ein, um die Glut zu halten. Den restlichen Wärmebedarf decke ich im Winter dadurch, dass ich – halten Sie sich fest! – im Haus einen Pullover und geschlossene Filzpantoffeln trage! Es ist wahr: Sie sparen eine bedeutende Summe, wenn Sie sich im Winter auch winterlich kleiden. Dämmen Sie dort, wo ein erhöhter Wärmebedarf besteht: An ihrem Körper.

Ein weiterer Spartipp: Wenn Sie nachts die Rollläden herunterlassen, bildet sich zwischen ihnen und der Fensterscheibe eine (fast) stehende Luftschicht, die isolierend wirkt. Auch hier spart man etwas Energie ein.

Fassade

Warum für andere Renovieren?

Wenn Sie ihre Renovierung im Innenbereich abgeschlossen haben, können Sie Ihre Aufmerksamkeit auf das Äußere des Hauses richten. Man verschönert sein Eigenheim nicht nur für sich selbst, sondern auch für Passanten und Nachbarn. Tatsächlich sind es die anderen, die in der Hauptsache davon profitieren. Für manch einen mag sich nun die Frage stellen, warum überhaupt Geld und Zeit in etwas investieren, dessen Anblick einem selbst vielleicht gleichgültig ist?

Die passende Gestaltung der Fassade, sowie die Pflege der Außenanlagen mag zwar etwas spießig anmuten, basiert aber auf einem durchaus vernünftigen Verhalten und bringt verschiedene offensichtliche und weniger offensichtliche Vorteile mit sich. Zunächst steigern Sie unmittelbar den Wert Ihrer Immobilie. Dazu steigern Sie auch den Wert der benachbarten Immobilien. Höhere Immobilienpreise führen langfristig dazu, dass die Zahl wohlhabenderer Bewohner in der Gegend steigt, während finanziell schwächere Personen eher ins Abseits gedrückt werden. Sie kennen das: In jeder Stadt, selbst in manchem größeren Dorf, gibt es „bessere“ und „schlechtere“ Gegenden, die man am Aussehen der Häuser, Vorgärten und parkenden Autos auch als Fremder relativ leicht voneinander unterscheiden kann.

Sie wollen in einer guten Gegend leben und Sie wollen die Gegend, in der Sie leben, verbessern – darum sorgen Sie, wenn Zeit und Geld es erlauben, für einen gepflegten „Auftritt“ Ihrer Immobilie.

Eier, Schalen, Farbe

Es gibt verschiedene Möglichkeiten, Fassaden zu gestalten. Die simpelste und von mir empfohlene ist der neue Anstrich einer Putzfassade. Zuvor sind natürlich Fehlstellen im Putz auszubessern und der Untergrund gründlich zu reinigen. Entsprechende Mittel und Gerätschaften nebst mobilem Gerüst sind recht günstig auszuleihen. Streichen Sie nach Möglichkeit im gleichen Farbton, evtl. ein klein wenig dunkler – dann kommen Sie oft mit einem Anstrich aus. Wählen Sie, wenn Sie eine neue Farbe wollen, nicht nur nach dem eigenen Geschmack oder der Mode. Ziehen Sie die farbliche Gestaltung der benachbarten Gebäude mit in Betracht. Dezente Farben sind grundsätzlich zu bevorzugen: Ein hellgestrichenes Haus, sagen wir weiß oder eierschalenfarbig, sieht zu jeder Zeit akzeptabel aus, während das in den siebziger Jahren beliebte Schweinchenrosa der ästhetischen Toleranz schon einiges abverlangt.

Ein optisches Highlight und für den Laien sehr leicht selbst zu machen, ist die farblich abgehobene Umrandung der Fenster/Türen und/oder der Hauskanten. Der Sockel – so er denn verputzt ist – sollte immer dunkel gestrichen werden, da er recht schnell verschmutzt. Bei Natursteinsockeln sind lediglich Fugen und Fehlstellen auszubessern und das ganze alle Jahre oder Jahrzehnte zu reinigen.

Wählen Sie bitte immer passende und qualitativ hochwertige Farben. Im Farbfachhandel wird man gut beraten – ruhig fragen und ein wenig schwatzen. Guter Rat ist nicht nur teuer, sondern unbezahlbar.

Schalungen

Alternativ zum Streichen gibt es die Möglichkeit eine Schalung anzubringen. Echtes Holz ist sehr beliebt; in meinem Dorf habe ich aber auch recht ansehnliche Lösungen aus Kunststoff gesehen. Was man wählt ist Geschmackssache. Vorteilhaft sind Schalungen, die wartungsfrei sind. Dazu gehören manche Holzarten und natürlich Metall und Kunststoffverkleidungen.

Komplexer sind Lösungen aus kleinteiligen Schindeln, die auf eine Lattung geschraubt werden. Auch hier gibt es zahlreiche Gestaltungsmöglichkeiten. In manchen Gegenden ist die „Fischhaut“ aus Schiefer gebräuchlich. Im hohen Norden schützt die Backsteinfassade etliche Häuser vor der rauen Witterung. Diese ist bis auf das gelegentliche Reinigen und ausbessern der Fugen praktisch wartungsfrei und unverwüstlich, in der Erstellung aber teuer.

Wasser/Abwasser

Kommen wir zu etwas anderem: Wasser- und Abwasserleitungen. Ich erwähnte bereits, dass es heutzutage keinen gewindefräßenden Fachmann mehr braucht, um einfachere Installationen zu erledigen. Je nachdem welches Material Sie wählen, finden Sie alles Nötige, d.h. Leitungen und Fittings, in allen nur denkbaren Formen und Größen im Baumarkt. Auch Verbindungsstücke für unterschiedliche Leitungsarten finden sich hier, wenn zum Beispiel eine Leitung verlängert oder ein defektes Stück ausgetauscht werden soll.

Neue Installationen können auf dem Putz verlegt werden. Achten Sie dabei auf möglichst kurze Wege. Je weniger Meter Leitung Sie zu verlegen haben, desto schneller und günstiger geht es. Das Verlegen auf dem Putz hat noch einen anderen Vorteil: Leckagen sind sofort sichtbar und problemlos zu reparieren.

Ich habe meine letzte Installation mit Aluverbundrohren (vom Baumarkt) bewerkstelligt. Dieses System ist teurer als zum Beispiel reine PE-Rohre, aber in meinem Fall hat die ganze Installation keine sechs Meter betragen. Ein weiterer Vorteil war, dass die Rohre bis zu 90 Grad biegbar sind, d.h. man spart sich viele Eckverbindungen. So konnte ich die Strecke vom Keller bis ins EG mit einem einzige Stück an der Kellerdecke mäandernd zurücklegen. Die Leitung habe ich alle Meter mit einer Schelle befestigt. Feine Sache.

Abwasserrohre sind ähnlich leicht zu verlegen. Graue Rohre im Innenbereich, orange KG-Rohre im Außenbereich. Auch hier gibt es Anschlussmodule für gusseiserne Rohre, wenn man das möchte. Abwasserrohre zu verlegen, hat mich an ein Steckspiel meiner Kindheit erinnert. Man muss lediglich ein gewisses Gefälle und eine Weiche in den Kurven beachten – stellen Sie sich das

Ganze wie eine Wasserrutschbahn vor. An der höchste Stelle des Abwassersystems muss eine Rohrentlüftung eingebaut werden – das sind diese kleine Kunststofftürmchen auf den Dächern. Tatsächlich muss man aber nicht bis zum Dach. Meine Entlüftung habe ich neben der Toilette als 20cm Rohraufsatz platziert. Darüber habe ich einen selbstgezimmerten und entsprechend ausgeschnittenen Holzkasten gestülpt, auf dem meine Zeitschriften liegen....

Dusche, Badewanne, Toilette

Toiletten und Badewannen sind spielend leicht zu installieren – vor allem wenn sie am Platz Ihrer Vorgänger stehen. Aber auch als Neuinstallationen sind beide Projekte wenig anspruchsvoll.

Das WC kaufen Sie günstig im Baumarkt, wenn Sie das alte nicht mehr benutzen wollen. Auch Spülkästen gibt es. Manchmal werden Komplettsysteme mit Sitz und Anschlussgarnitur für deutlich unter hundert Euro angeboten. Vergessen Sie nicht den Sockel mit einer Silikonfuge abzudichten.

Die Wanne wird an den ihr bestimmten Ort auf Füße (hier gibt es verschiedene Systeme) gebockt und justiert. Die Wanne sollte sehr eben sein – eine entsprechend dimensionierte Wasserwaage bereithalten! Um dem Ganzen die nötige Stabilität zu verleihen, werden die Füße oft mit einem Schlag Mörtel oder Beton „eingemauert“. Bei modernen Fußsystemen braucht man das nicht mehr zu machen – meines habe ich zusammen mit der alten Edelstahlwanne in meinem neuen Bad „recycelt“. Die Wanne wird wandseitig dicht verfugt und vorne eingemauert. Dazu habe ich ein paar dünne Y-Tong-Steine benutzt, da diese leicht zu bearbeiten sind. Das Ganze habe ich verputzt und mit wasserabweisender Farbe gestrichen.

Duschen sind etwas komplizierter. Ich habe noch keine „so richtig“ hinbekommen, rate also generell davon ab, obwohl ich davon ausgehe, dass der geschicktere Heimwerker auch dieses Projekt problemlos stemmen können sollte. Auf der anderen Seite – warum eine Dusche, wenn man seine Badewanne mit einem Duschvorhang ausstatten kann?

Möbel

Zur Wohnlichkeit eines Heims gehören Möbel und zwar die richtigen in Qualität, Funktionalität und Ästhetik. Im meine Buch „Aussteigen-light“ habe ich diese Thema bereits im Hinblick auf Funktionalität und kostengünstige Beschaffung beleuchtet, darum will ich hier nur knapp darüber sprechen.

Überlegen Sie genau welche Möbel sie wirklich brauchen. Kaufen Sie nicht nach der Mode, kaufen Sie keine schlechte Qualität und versuchen Sie so zu kaufen, als wollten Sie das Stück Ihren Kinder hinterlassen – so haben es unsere Vorväter gemacht und sind zweifellos gut damit gefahren. Die Kaufs-neu-und-wirf-es-nach-drei-Jahren-weg-Mentalität unserer Zeit wird sich kaum in alle Ewigkeit halten; zu teuer, zu ressourcenintensiv und – global betrachtet – leider auch zu asozial ist der Wahn endlosen Konsumieren-müssens. Schon Platon kannte dieses Phänomen. Er nannte es Pleonexie, d.i. das Immer-mehr-haben-wollen. Besser man fängt gar nicht erst damit an, besser man kauft und benutzt mit Verstand und Verantwortung, mahnt doch schon unser Grundgesetz: Eigentum verpflichtet.

Gute, massive Möbel bekommen Sie heute nachgeworfen. Das ist so bedauerlich wie erfreulich. Die Zeitungen und Kleinanzeigenbörsen sind voll von Angeboten. Viele Stücke sind gegen Abholung zu verschenken. Stühle, Tische, Sofas Betten, Schränke und was das Herz nicht alles begehrt. Selbst, wenn Sie nicht planen, ein Stück dauerhaft zu behalten, können Sie es als Übergangslösung benutzen. Sie haben gerade ein Haus gekauft und viel Geld ausgegeben! Sicherlich wollen Sie Ihr Budget nicht weiter als nötig belasten. Machen Sie es bitte nicht so, wie manch einer und kaufen auf Teufel komm raus, am besten noch in bequemen monatlichen Raten bezahlbar, ein Wohnzimmer und ein Schlafzimmer und was nicht alles, das Sie in zwei Jahren nicht mehr sehen können. Warten Sie lieber, bis Sie Muse und Mittel haben, sich dauerhaft wohnlich mit gebrauchten Möbeln einzurichten. Möbel sind mehr als Dinge. Sie sind unsere stummen Mitbewohner und wir sollten uns an ihrem Anblick erfreuen und sie wertschätzend behandeln.

Nachwort

Es kann einen leicht überwältigen, wenn man bedenkt, dass man sich gerade an ein Projekt wagt, dass vielleicht einen guten Teil der gesamten über das Leben erzielten Einkünfte verzehren wird: das eigene Haus.

So viele Details und Probleme und Meinungen und Ideen und Lösungen, ach, schon schwirrt einem der Kopf und man sehnt sich danach, dass jemand, vielleicht ein Fachmann oder ein Experte einem die quälende Wahl abnimmt, und einem einfach etwas „Wohnraum“ zuteilt.

Die quälende Wahl... So viele Möglichkeiten, so viele Irrwege... Eine falsche Entscheidung kann schnell ein Jahreseinkommen oder mehr kosten. Wenn man es recht bedenkt, ist es eigentlich Wahnsinn: das eigene Haus.

Und doch: Menschen bauen und bewohnen Häuser seit Jahrtausenden. Dies zu tun, liegt uns im Blut, es ist eine Notwendigkeit unserer Existenz: Unsere unbehaarten Leiber taugen nicht zum Überwintern im Freien. Wie die Spinne ihr Netz, die Ameise ihren Haufen, die Biene ihren Stock, so bauen wir Menschen eben unsere Häuser. Es ist das Natürlichste, das Selbstverständlichste. Unsere Zeit verleidet uns indes das unverstellte und freimütige Vollbringen des vielleicht menschlichsten Aktes überhaupt: dem Errichten und In-Besitz-nehmen eines Heims. Alles wird verkompliziert. Probleme entstehen, wo eigentlich Wände und Fenster sein sollten. Wir reden von Taupunkten und Druckfestigkeit, wo wir von Stuben und Kinderzimmern sprechen sollten.

Bitte, tappen Sie nicht in die Falle, die Dinge zu kompliziert zu sehen. Ein Haus ist wie das Leben selbst etwas ganz Einfaches. Ein Raum, der sie vor Witterungseinflüssen schützt und in dem sie einen guten Teil ihres Lebens mit ihren Lieben verbringen werden – das ist ein Haus, nicht mehr, nicht weniger. So muss es auch nicht extravagant und chic sein. Wir brauchen keine riesigen Fensterfronten und computergesteuerten Staubsauger. Gemütlich und behaglich soll es sein, unkompliziert, warm, sauber, gesund, leicht zu warten...umgänglich. Ein verlässlicher Freund, ein treuer Gefährte: das eigene Haus.

Solche Freunde und Gefährten finden Sie überall. Auf den Dörfern, auf dem Land. Sie warten nur darauf, aus Ihrem Dornröschenschlaf erweckt zu werden. Ein bisschen Farbe, ein paar Reparaturen und gebrauchte Möbel, ein Einlassen der neuen Bewohner auf die Gegebenheiten des alten Hauses – und schon beginnt die wunderbare Symbiose, die aus einem beliebigen Gebäude ein Heim macht. Haben Sie nur Mut, folgen Sie Ihren Instinkten und Gefühlen und tun stets Sie Ihr Bestes: Dann werden Sie bald etwas besitzen, auf das Sie mit Recht stolz sein können: das eigene Haus.

Lesetipps

Aussteigen – Light!

Ein familientauglicher Ratgeber wie man mit wenig Geld komfortabel lebt

von **Andreas N. Graf**

ISBN: 978-3-7386-5305-2
188 Seiten

Preis: Taschenbuch 11,90€ oder als E-Book: 3,99€

Zum Inhalt:

Gut leben mit sehr wenig Geld? Geht das? Klar doch!
Es ist möglich und gar nicht mal so schwer, wenn man weiß, wie.

Dieses Büchlein zeigt anhand der alltäglichen Lebenspraxis einer vierköpfigen Familie, wie man es machen kann.
Ein witziger Ratgeber für alle, die sanft aussteigen wollen!

Ein Buch für

...Faulpelze und Philosophen.
...für Menschen, die weniger arbeiten und mehr spielen wollen.
...für Ungeduldige, die ihren Ruhestand nicht erwarten können.
...für Querdenker, die sich nicht unterordnen wollen.
...für Leute, die nicht viel vom Geldverdienen halten.
...für jeden, der mit wenig, sehr wenig Knete, gut leben möchte.

Labyrinth

von **Marcus Caracalla**

ISBN: 978-3-7386-1462-6
276 Seiten

Preis: Taschenbuch 12,90€ oder als E-Book: 2,99€

Zum Inhalt:

Ein Werk von erstaunlicher Kraft und Tiefe!

Tief wie das sagenhafte Labyrinth des Minos, in dessen innerster Kammer ein Scheusal auf den blutigen Tribut wartet. Kraftvoll wie die Protagonisten, Ariadne, Theseus, Phaidra, Daidalos und all die anderen, die sich im tausendzimmerigen Palast des Königs in einem Netz von Grausamkeit und Lügen gefangen finden.

Erzählt wird vom Schicksal der Schicksalslosen, von der Schuld der Unschuldigen und von ihren vergeblichen Versuchen, sich aus den Verstrickungen der Gewalt zu befreien. Inzest, Sadismus und Wahnsinn herrschen im goldenen Haus des Minos, aus dem kein Entkommen möglich scheint.

Der minoische Sagenkreis bildet die Grundlage dieses Romans der Antihelden, die zugleich Täter und Opfer sind. Er berichtet ihre Geschichte, zeigt ihre Perspektive und die finale Ausweglosigkeit ihres Handelns. Am Ende zermalmt sie die Katastrophe, die sie selbst heraufbeschworen haben.

Caligula

Kindheit und Jugend eines Gottes

von **Marcus Caracalla**

ISBN: 978-3-7386-5639-8
388 Seiten

Preis: Taschenbuch 14,90€ oder als E-Book: 5,99€

Zum Inhalt:

Auf dem Höhepunkt seiner Macht leidet das römische Imperium unter den mörderischen Rivalitäten und der wachsenden Dekadenz seiner Oberschicht. In diese Zeit des sittlichen Verfalls wird Caligula hineingeboren. Bis heute ist er der Welt als geisteskranker Despot in Erinnerung geblieben; ein Mensch, der am Ende seines Lebens nicht einmal davor zurückschreckte, seine Schwester zu heiraten und sich selbst als Gott verehren zu lassen.

Dieser erste Band einer Trilogie erzählt von der Kindheit und Jugend des späteren Kaisers. Weil sein Vater nach dem Tod des Augustus vor den neuen Herrschern Roms fliehen muss, wächst Caligula im unwirtlichen Norden des Reichs auf. Das raue Lagerleben und ständige Kriegsgefahr prägen seine ersten Jahre. Er muss sich gegen Gleichaltrige durchsetzen und lernt früh, dass einzig Rücksichtslosigkeit und Brutalität zum Ziel führen. Als sein Vater nach Rom zurückberufen wird, gerät Caligula in einen Strudel von Intrigen und Verrat. Sein Leben schwebt in ständiger Gefahr. Nicht nur der irrsinnige Tiberius, auch Seian, der machthungrige Präfekt der Prätorianer, und Livia, die hinterhältige Mutter des Kaisers, haben es auf ihn abgesehen. Nur in dem er sich an die perverse Wirklichkeit anpasst, gelingt es ihm, zu überleben.

Lightning Source UK Ltd.
Milton Keynes UK
UKHW021132260520
363903UK00004B/783